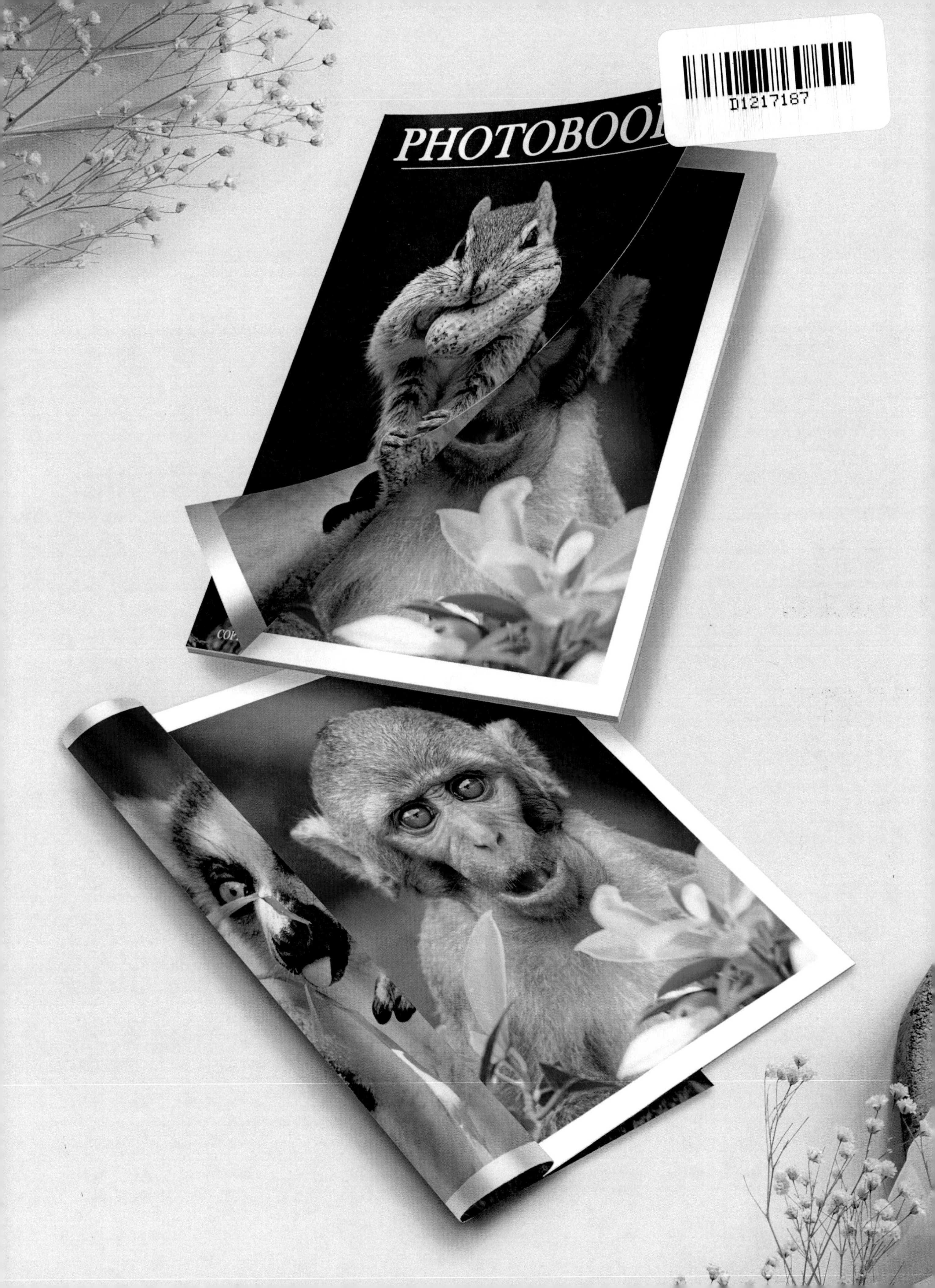
PHOTOBOO

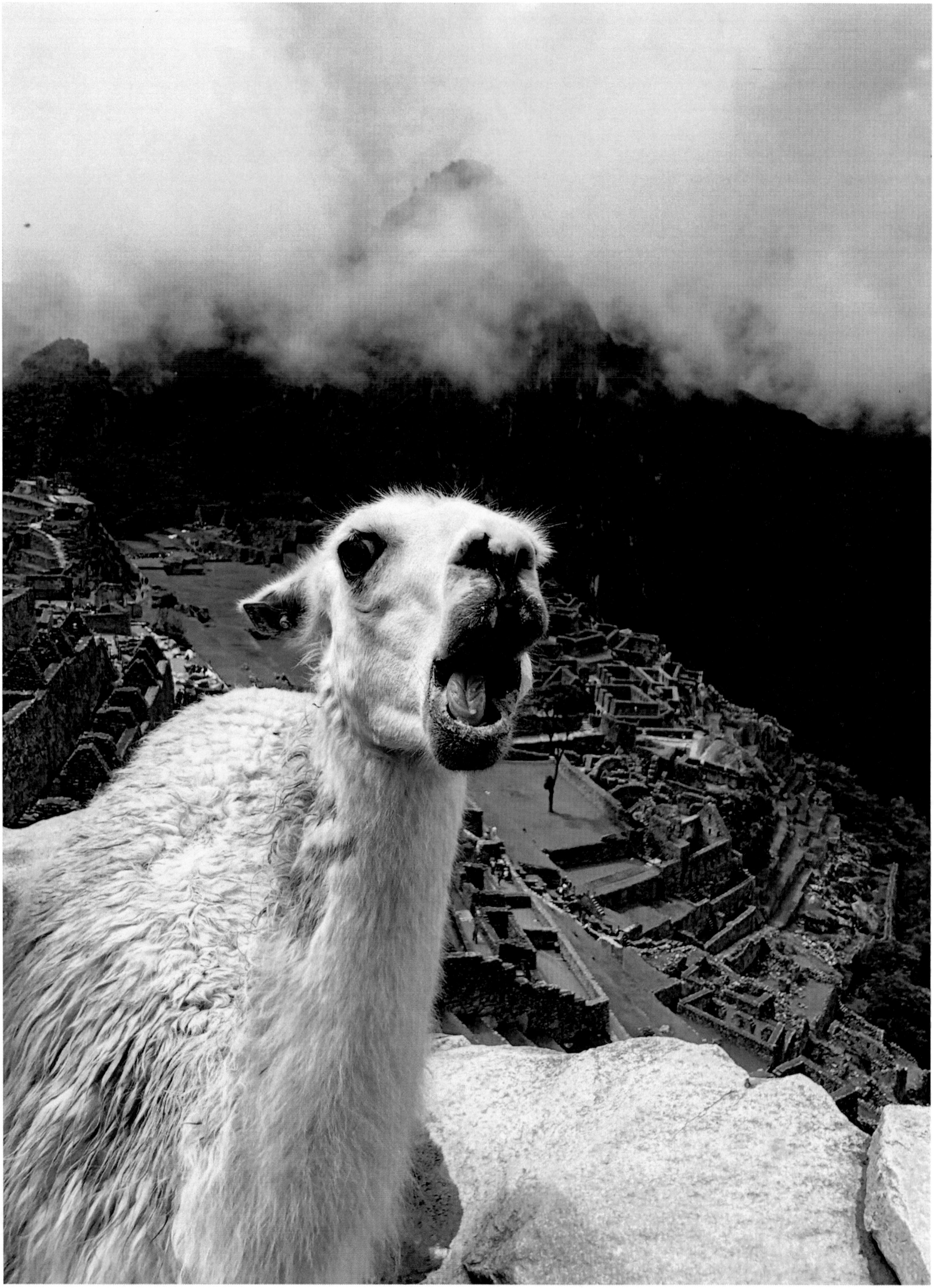

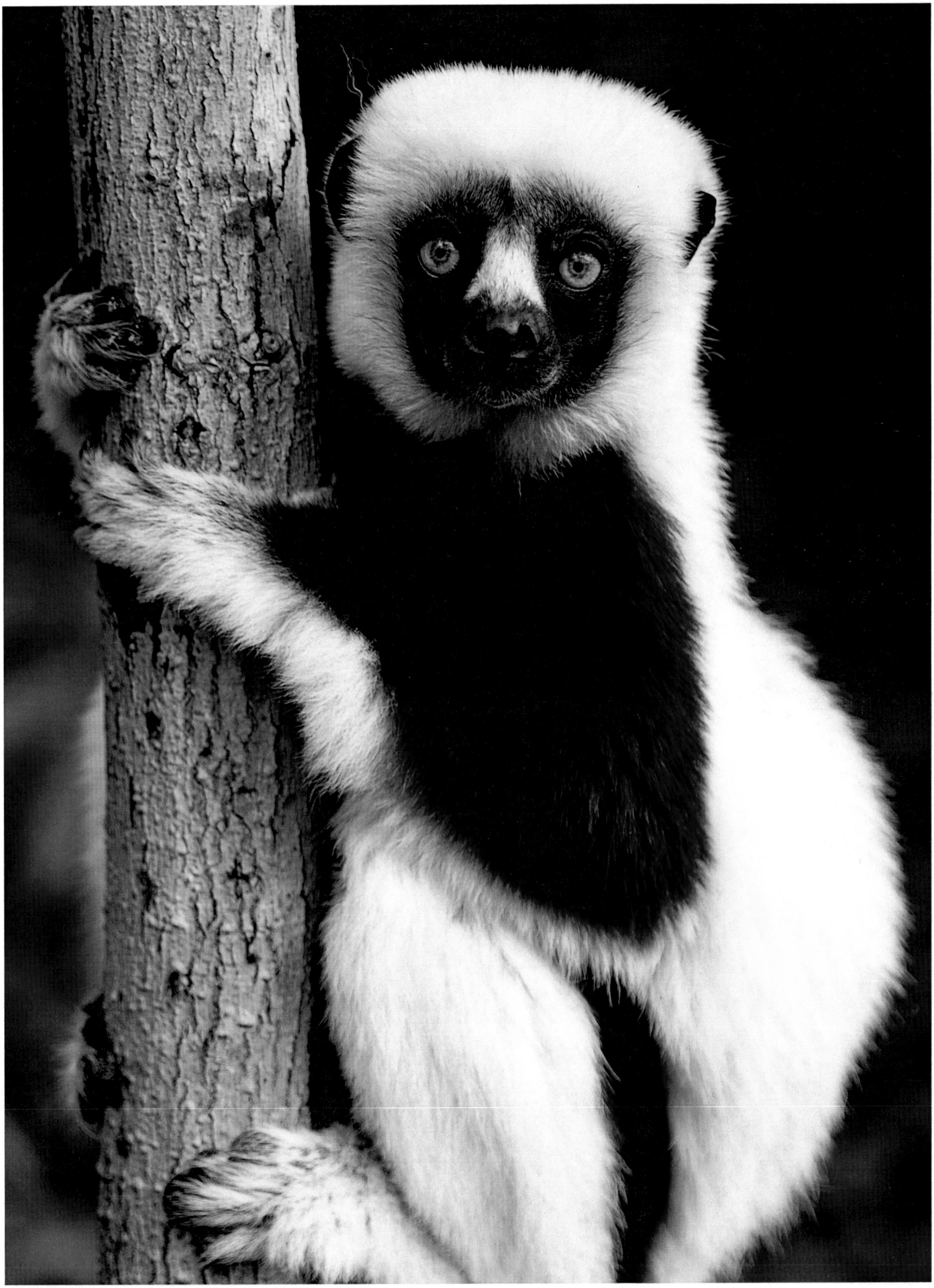

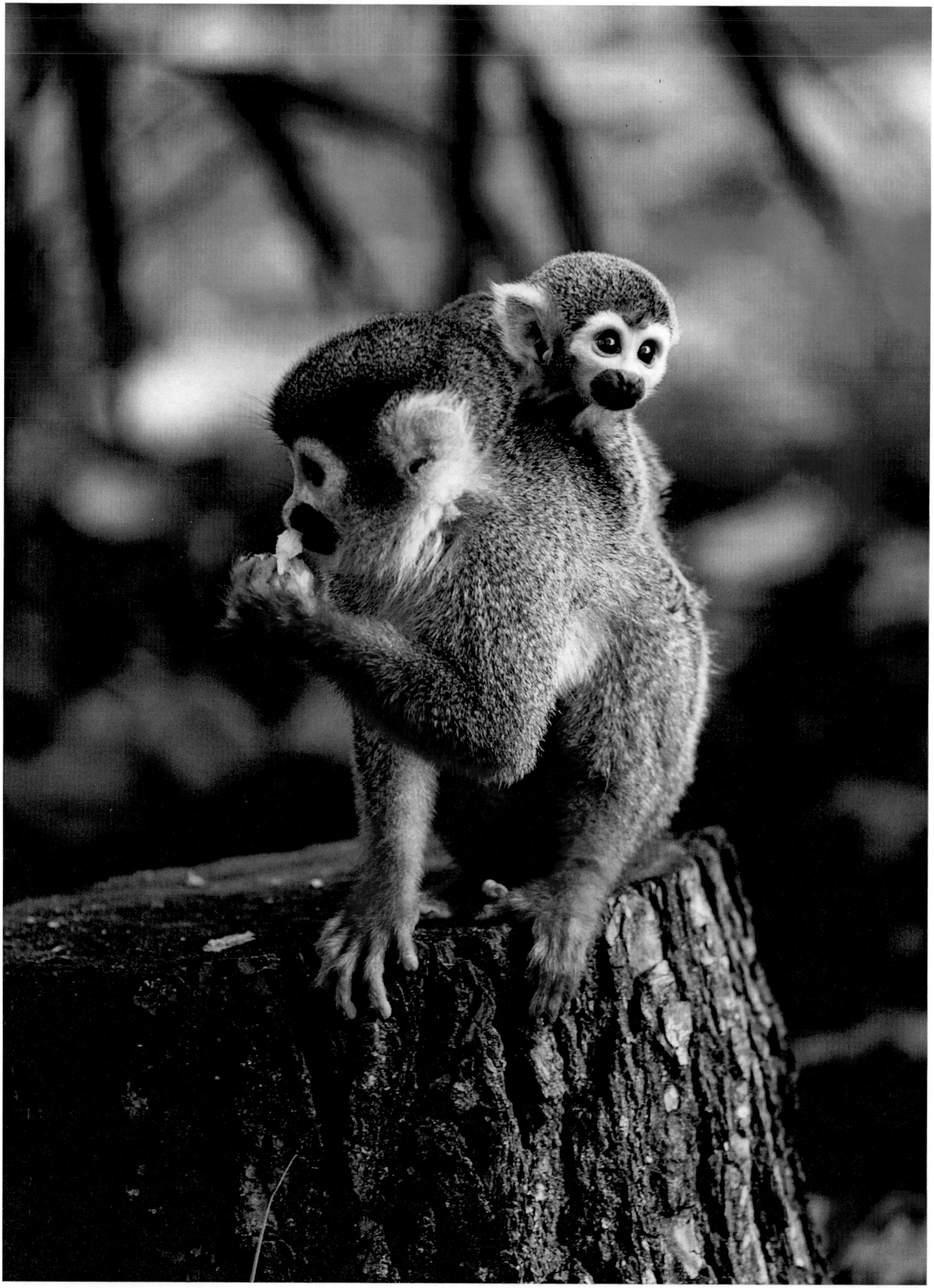

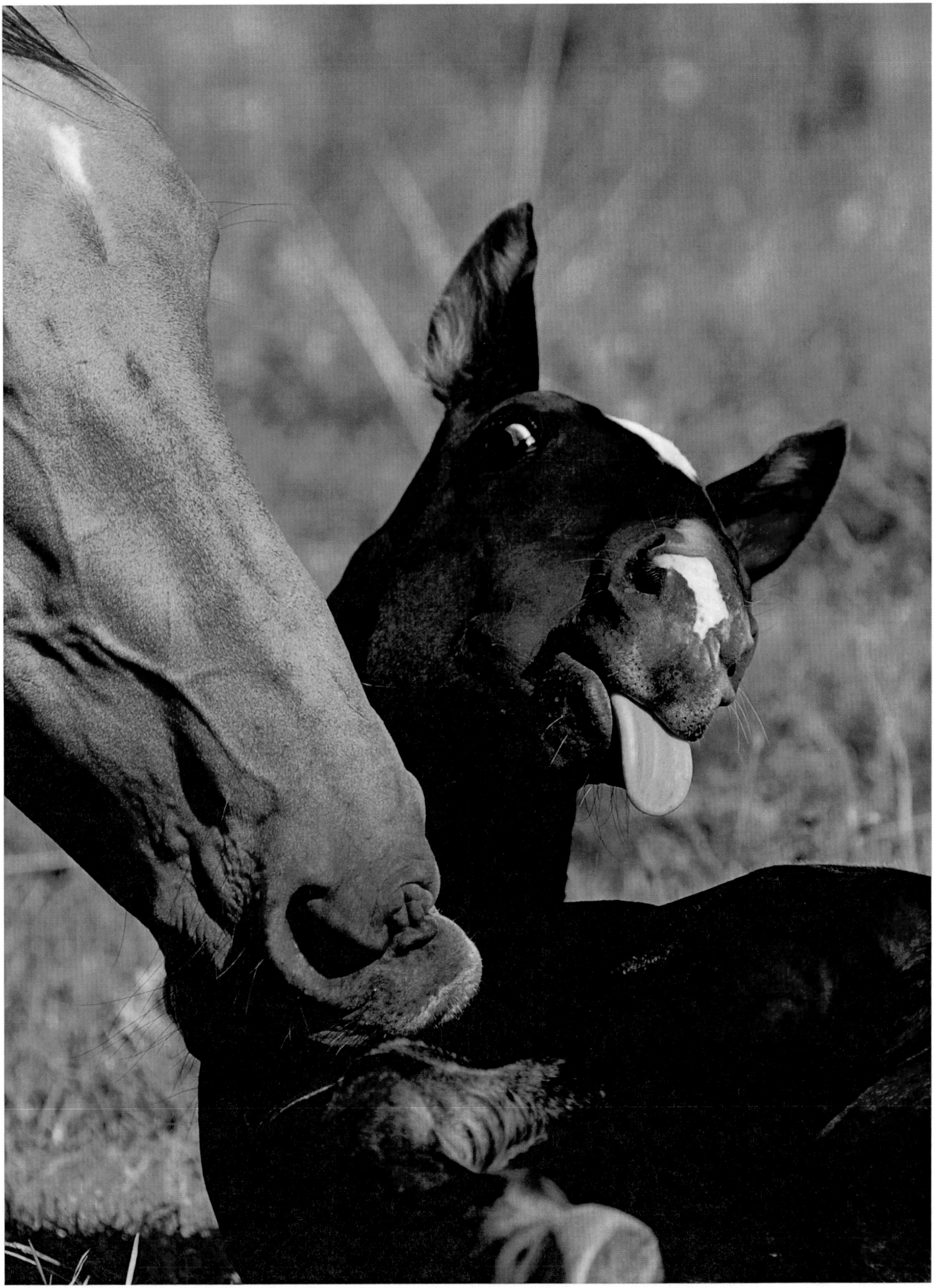

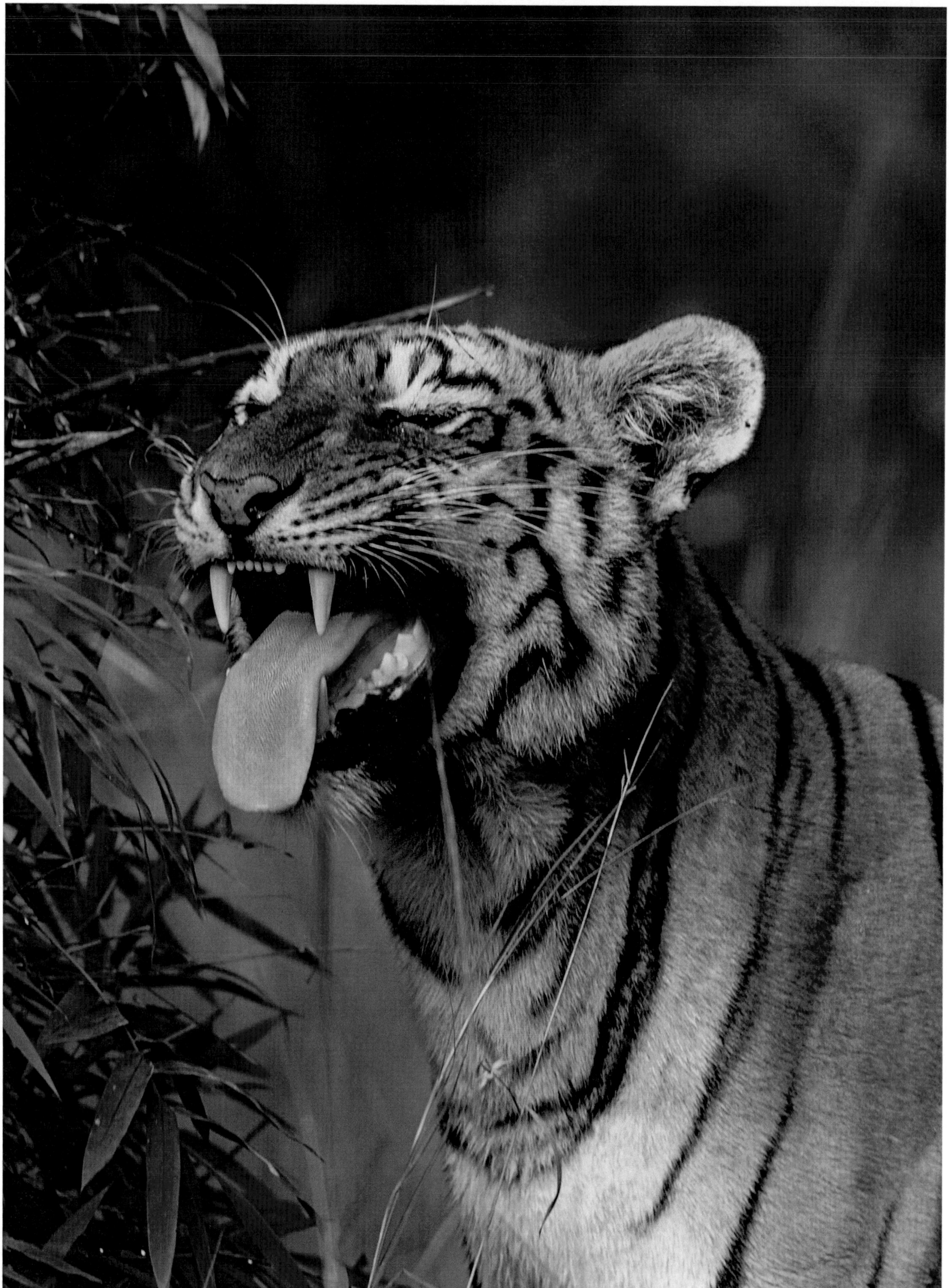

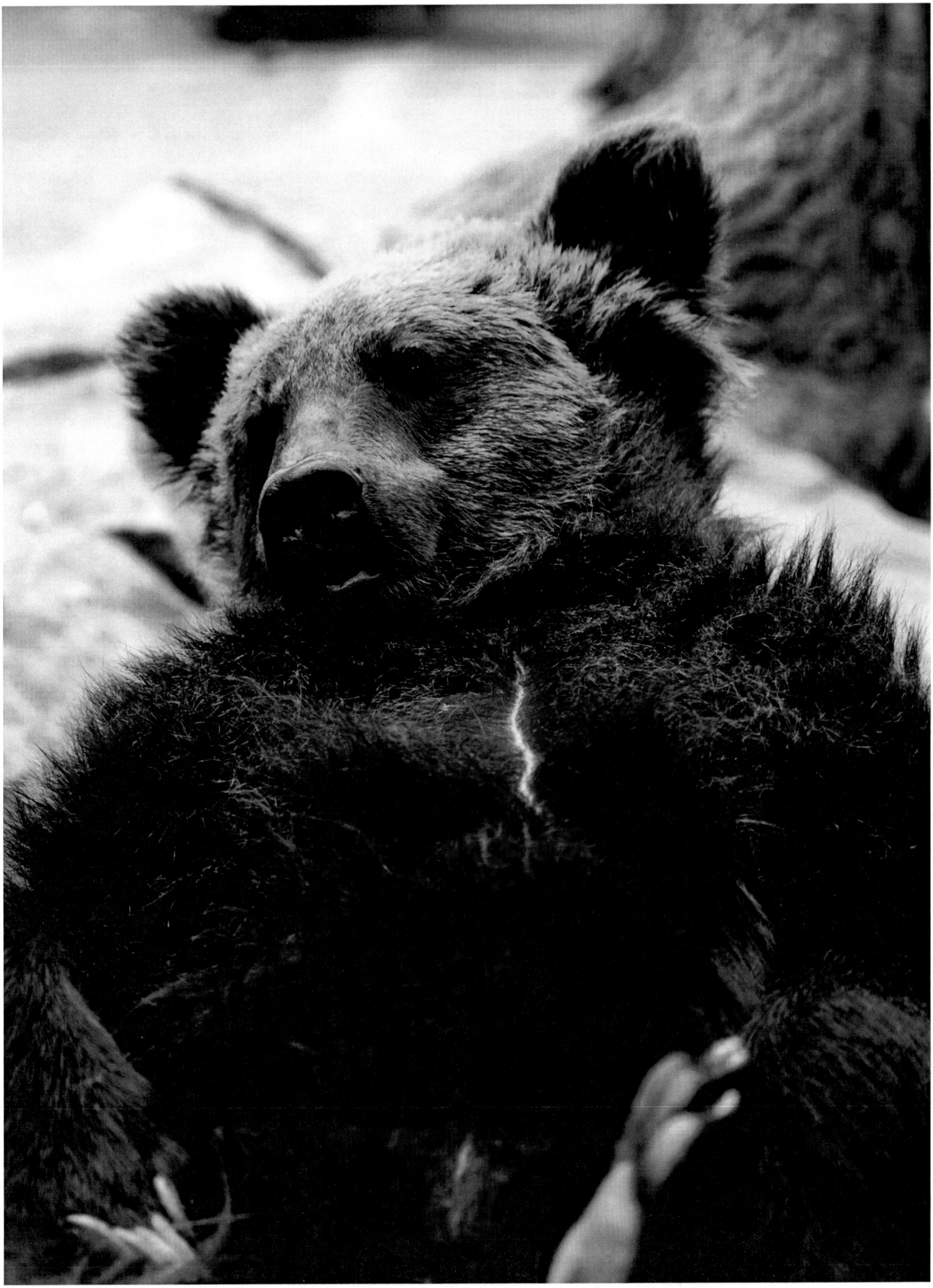

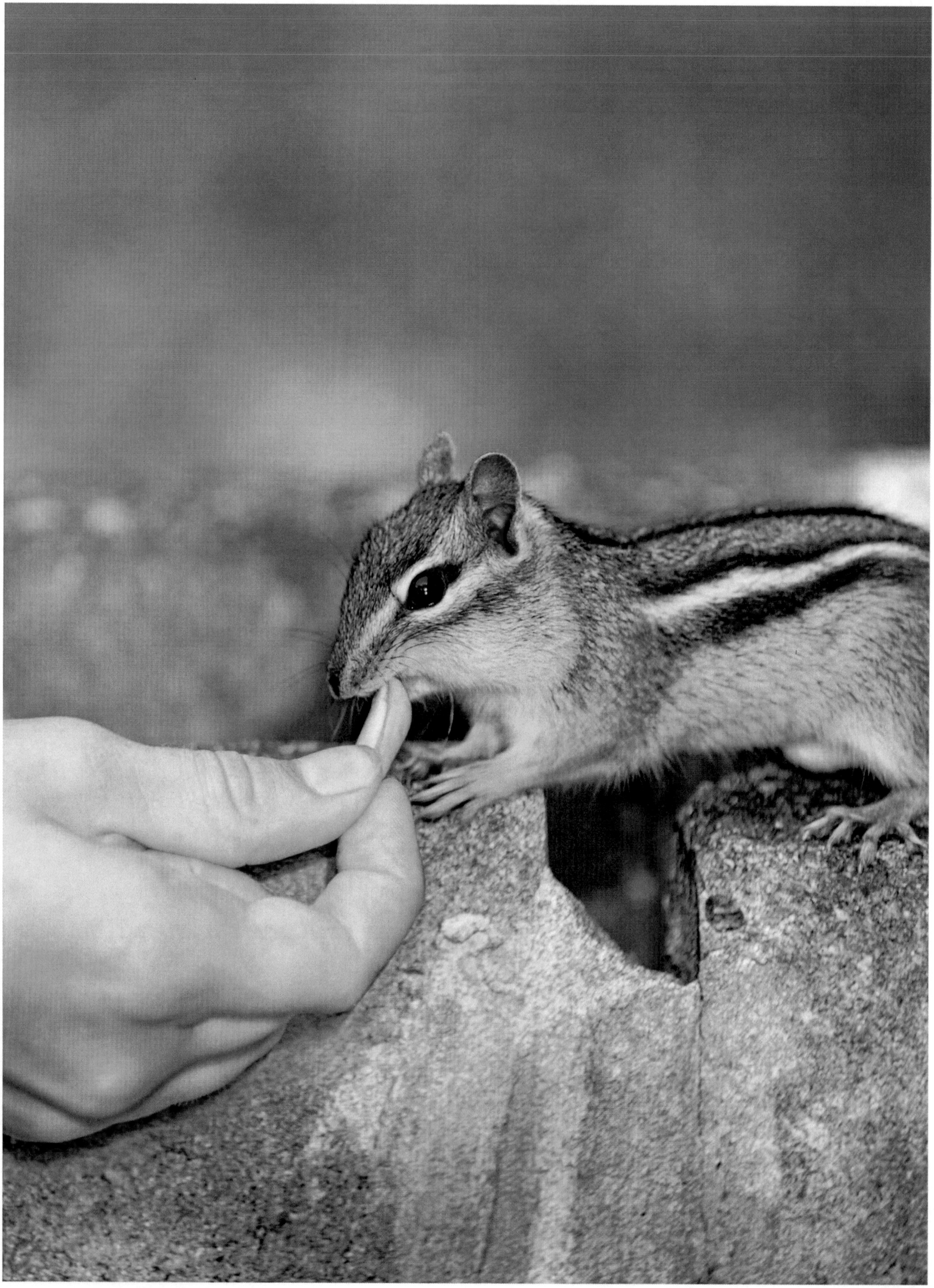

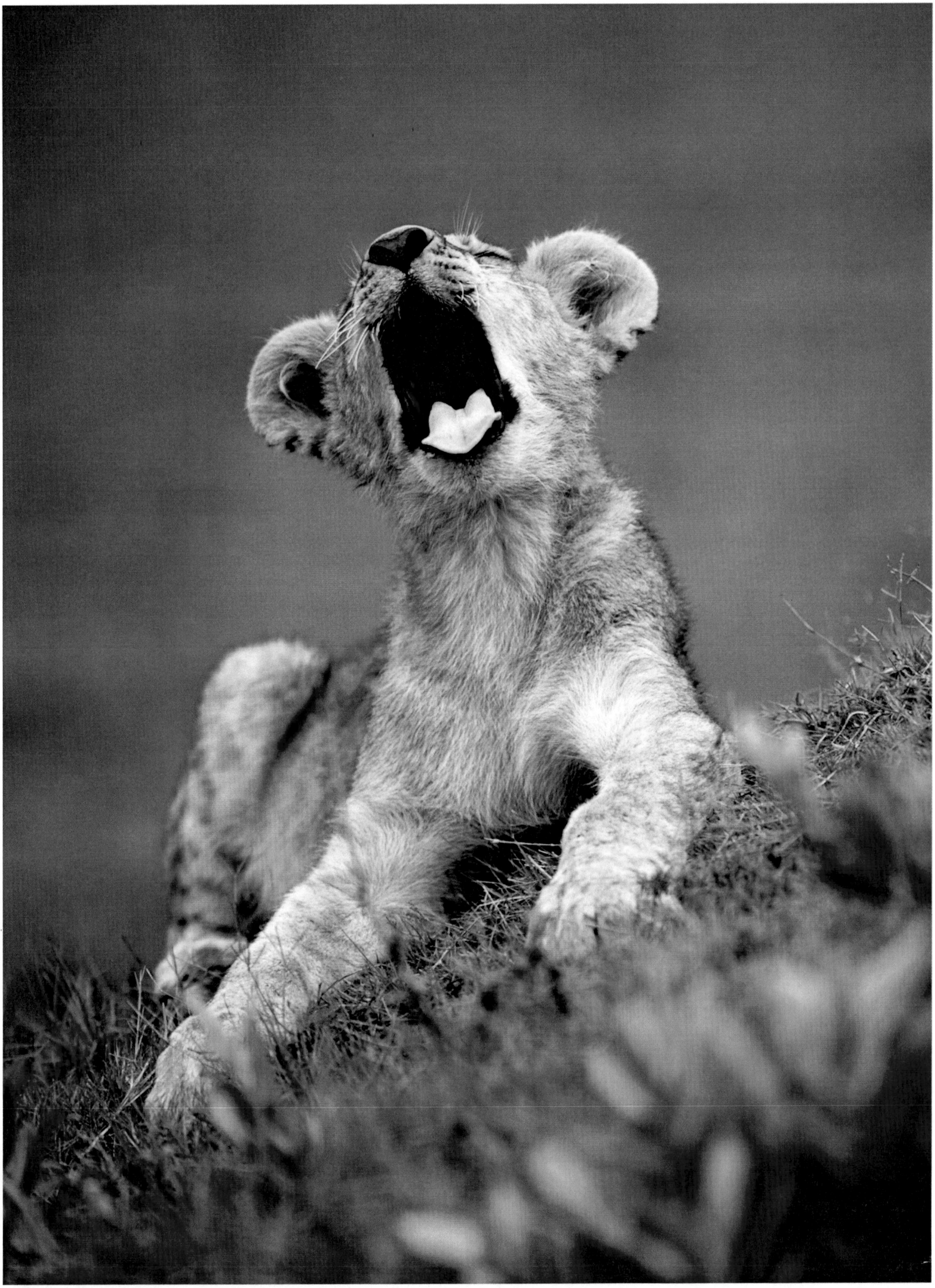

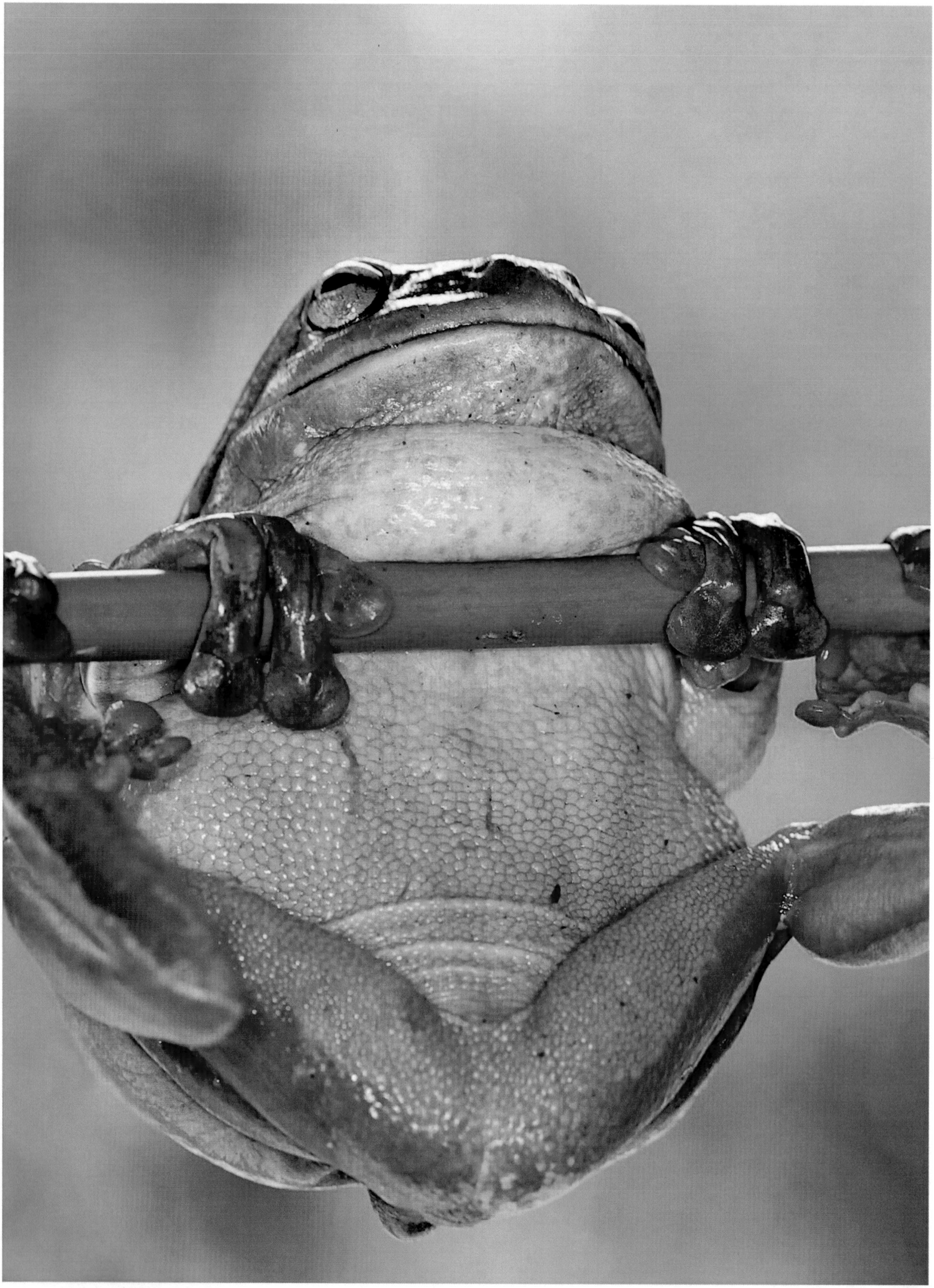

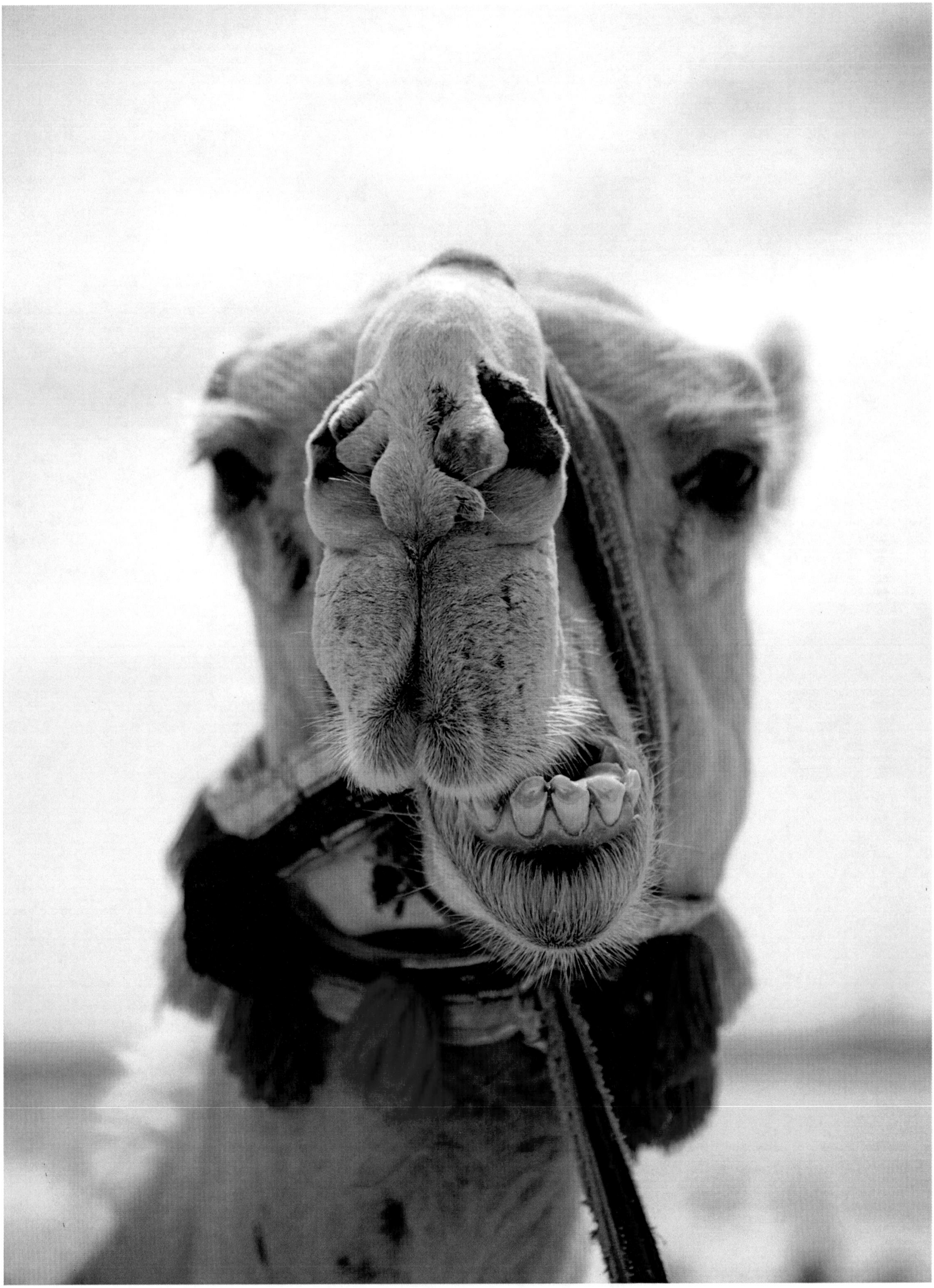

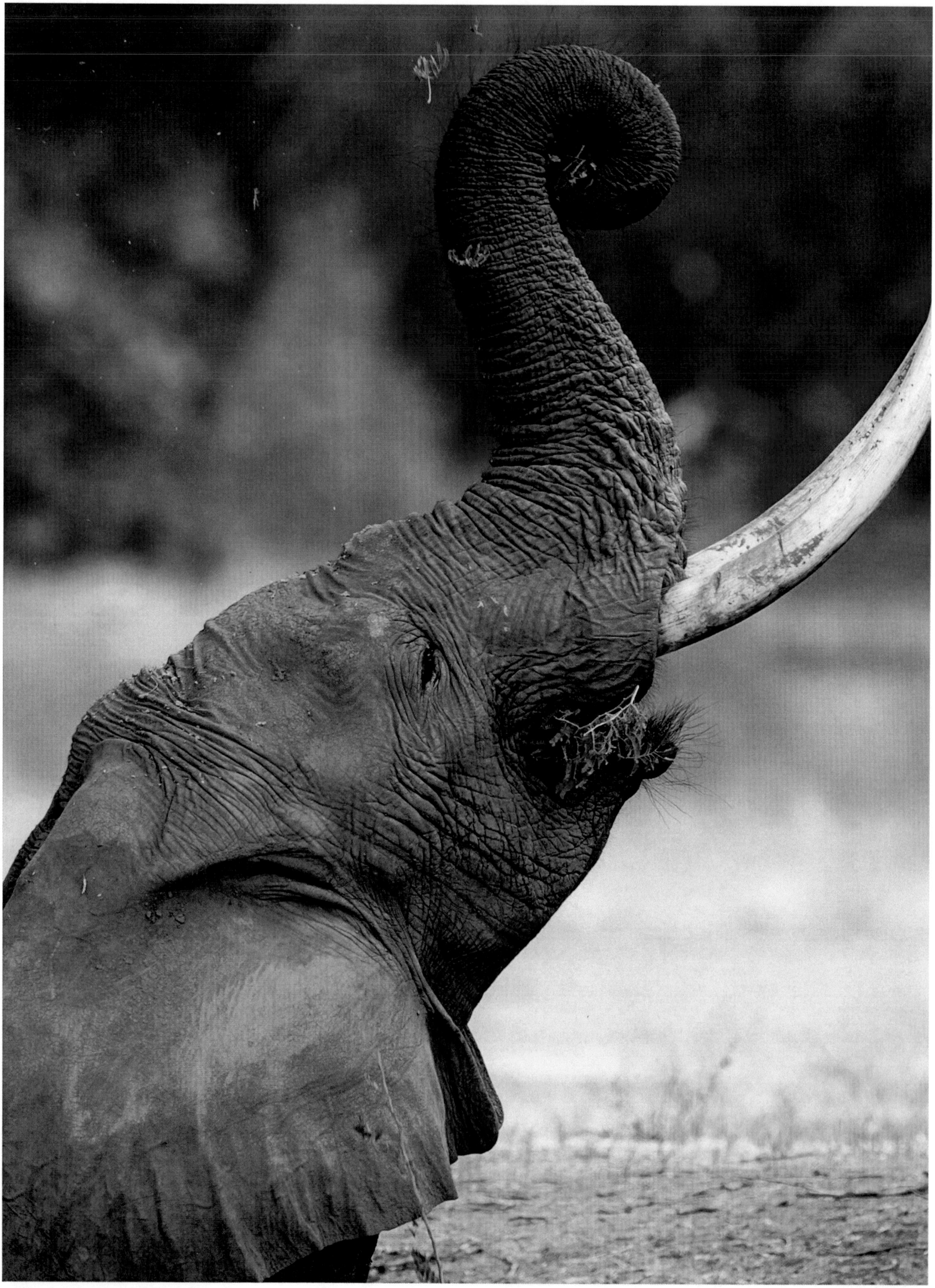

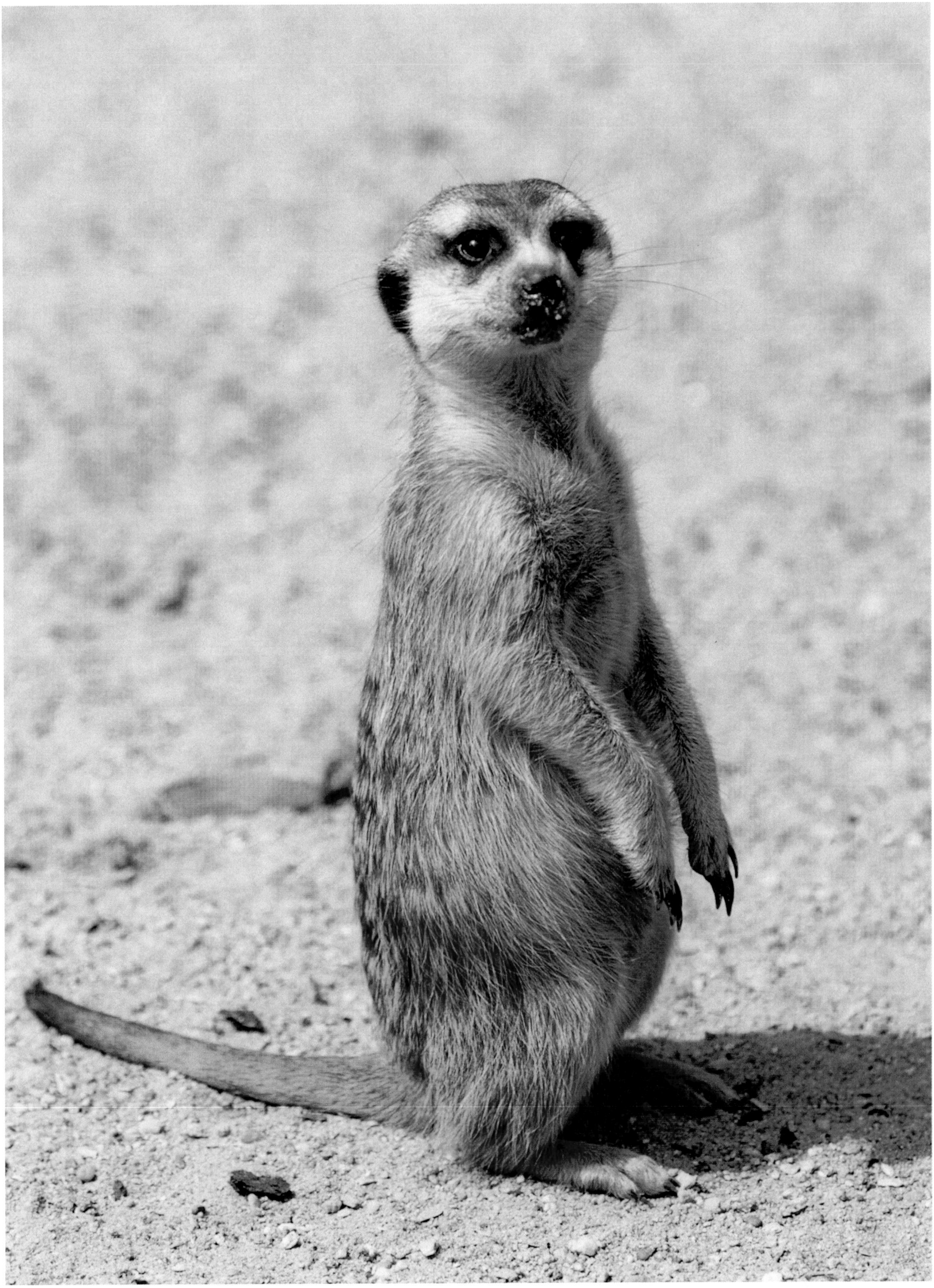

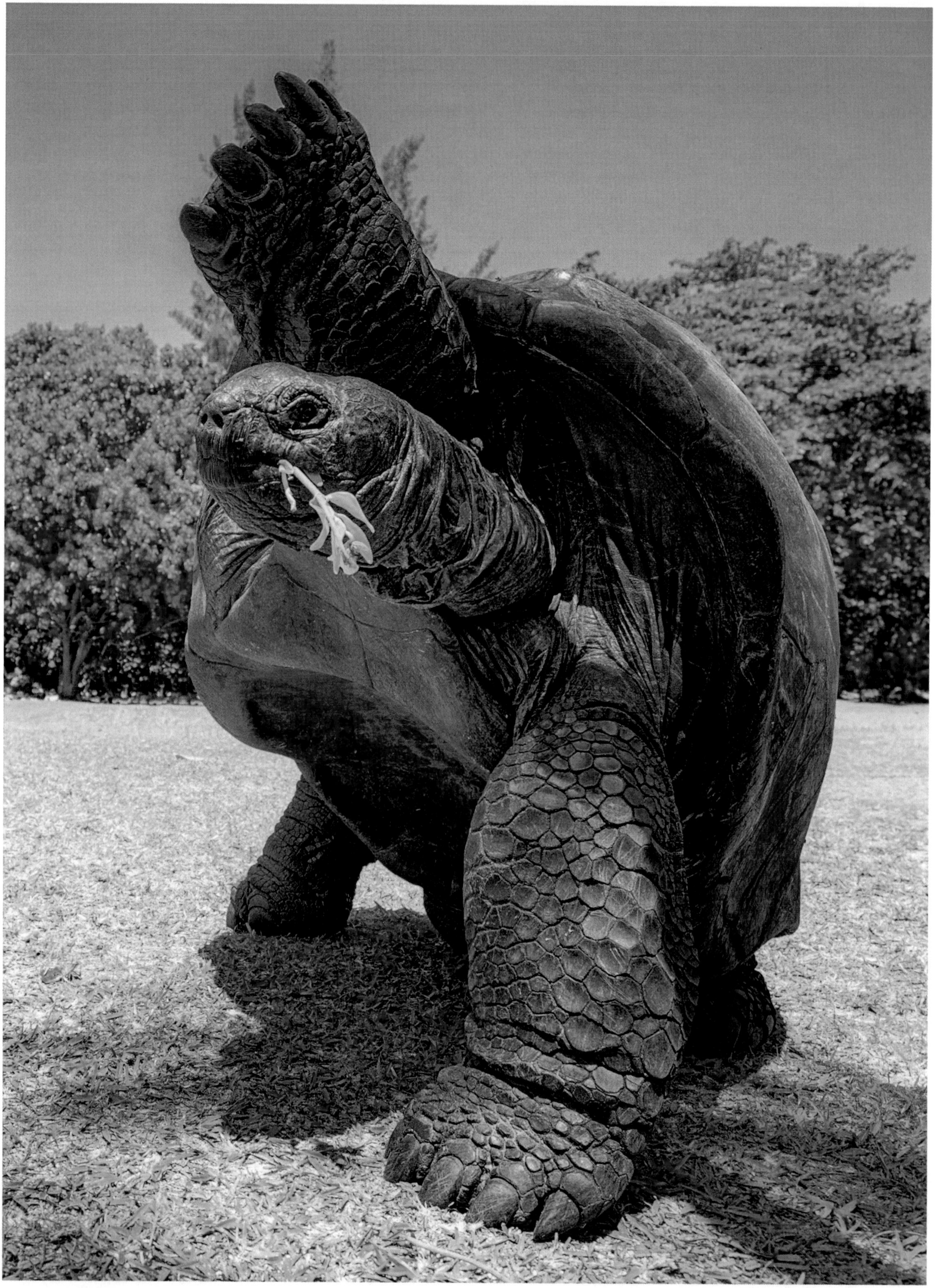

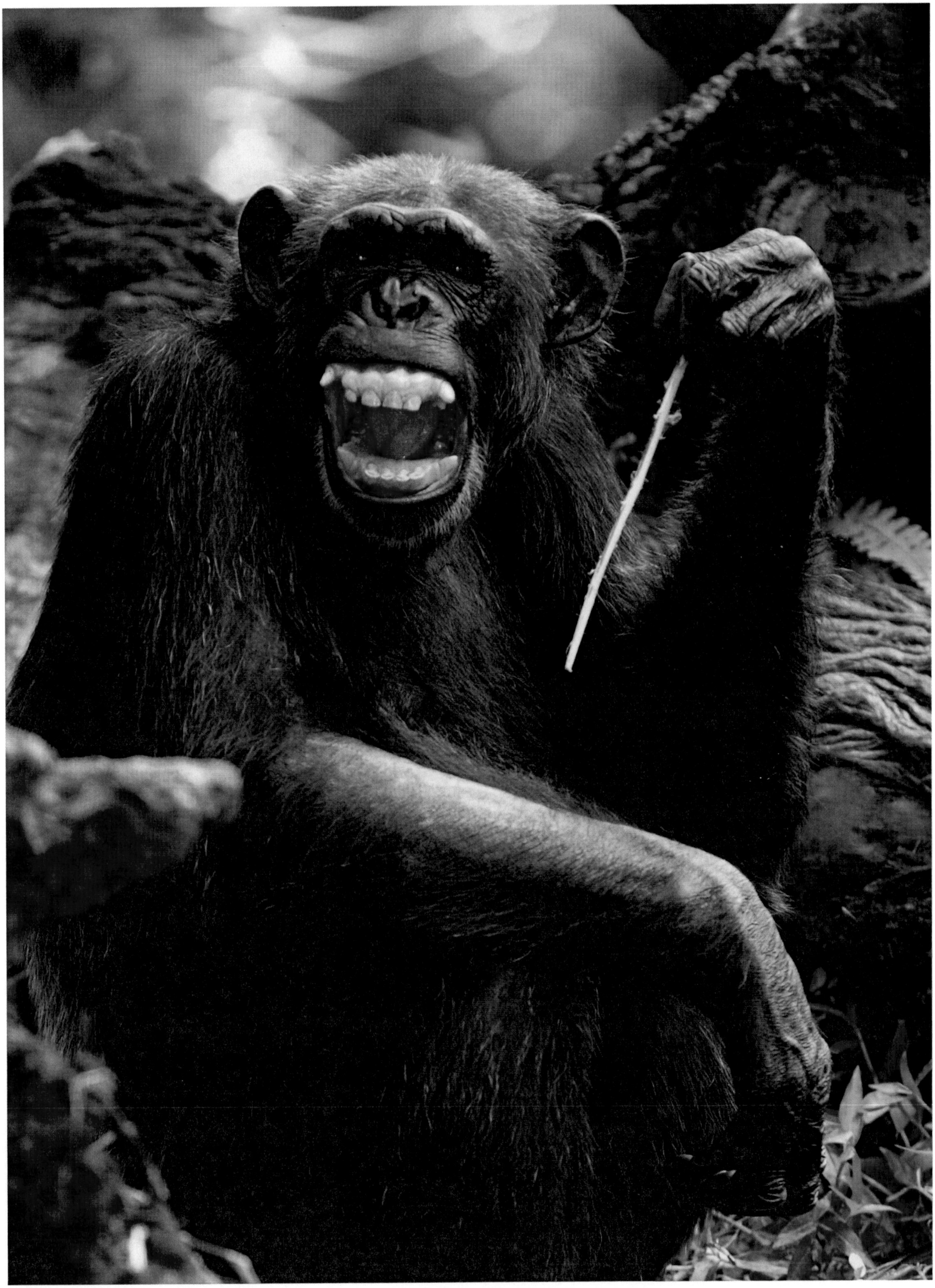

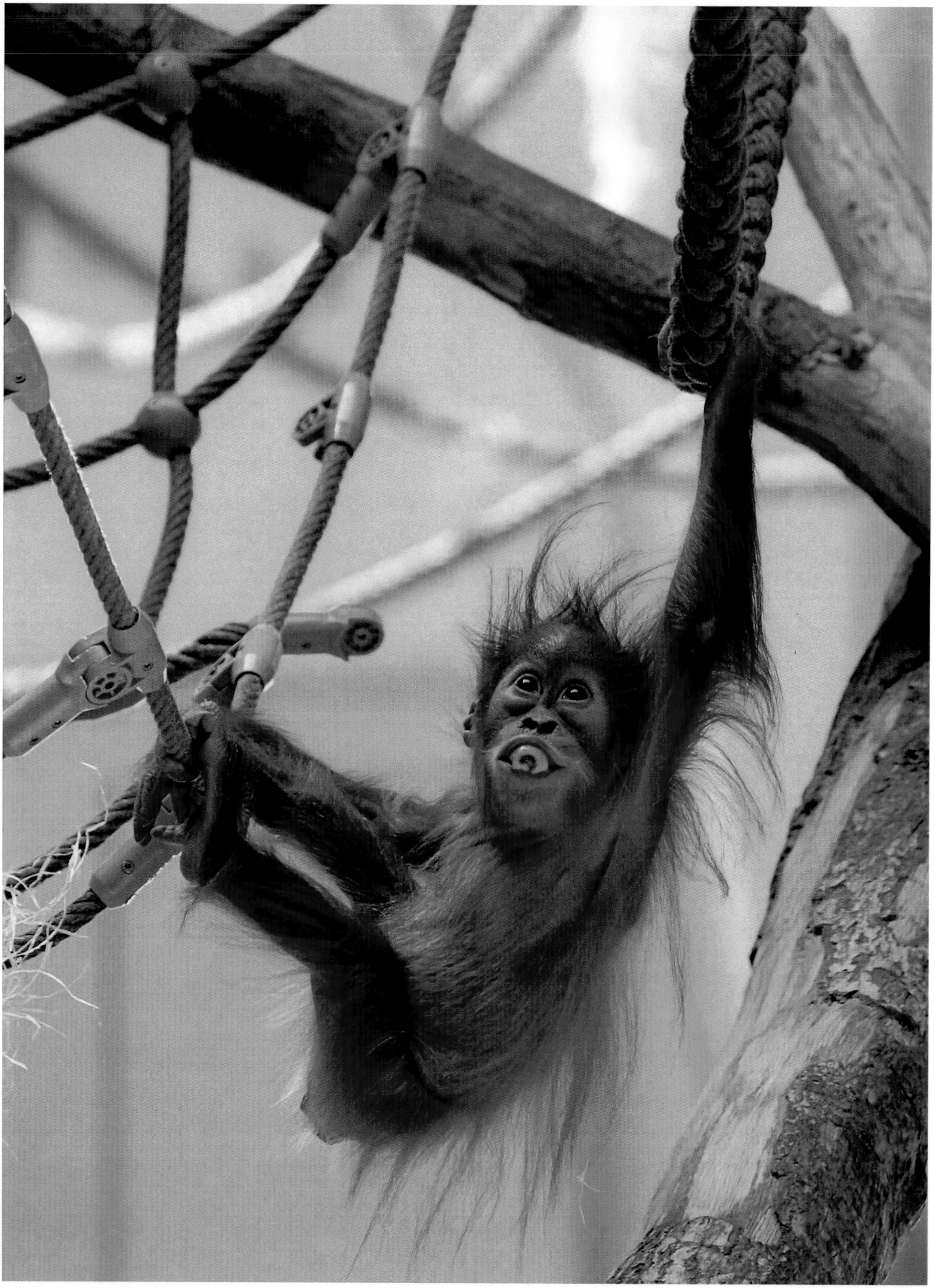

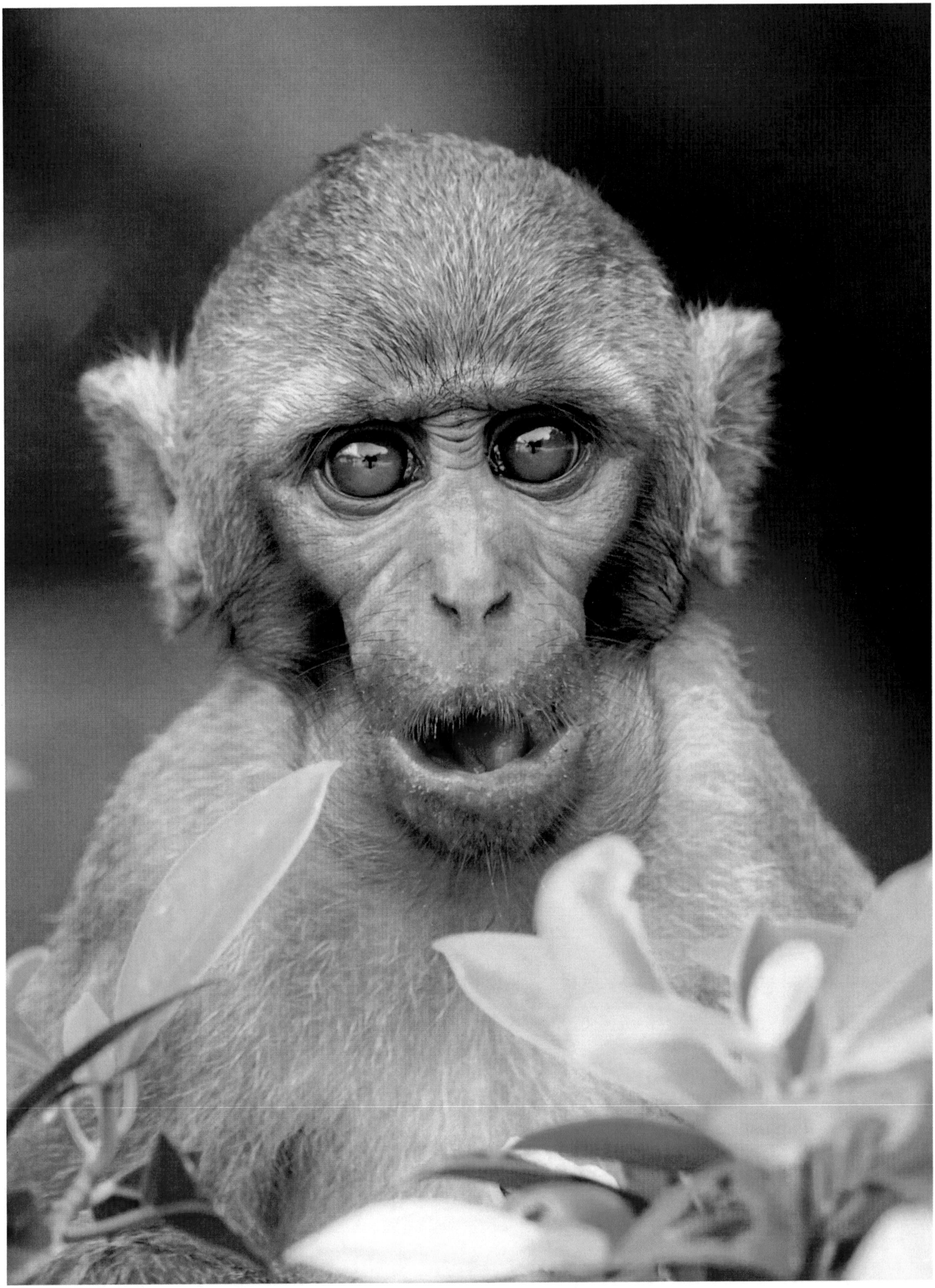

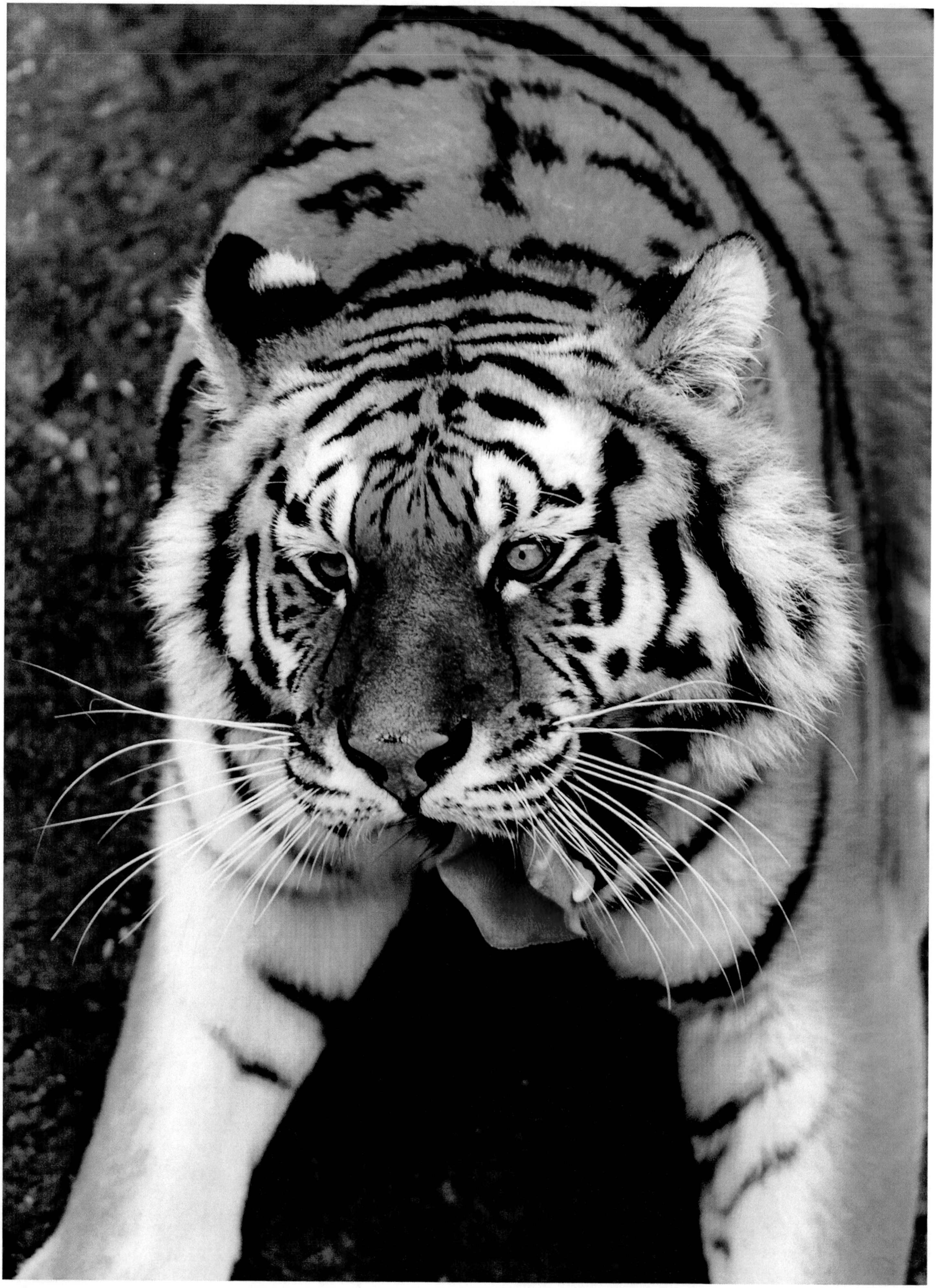

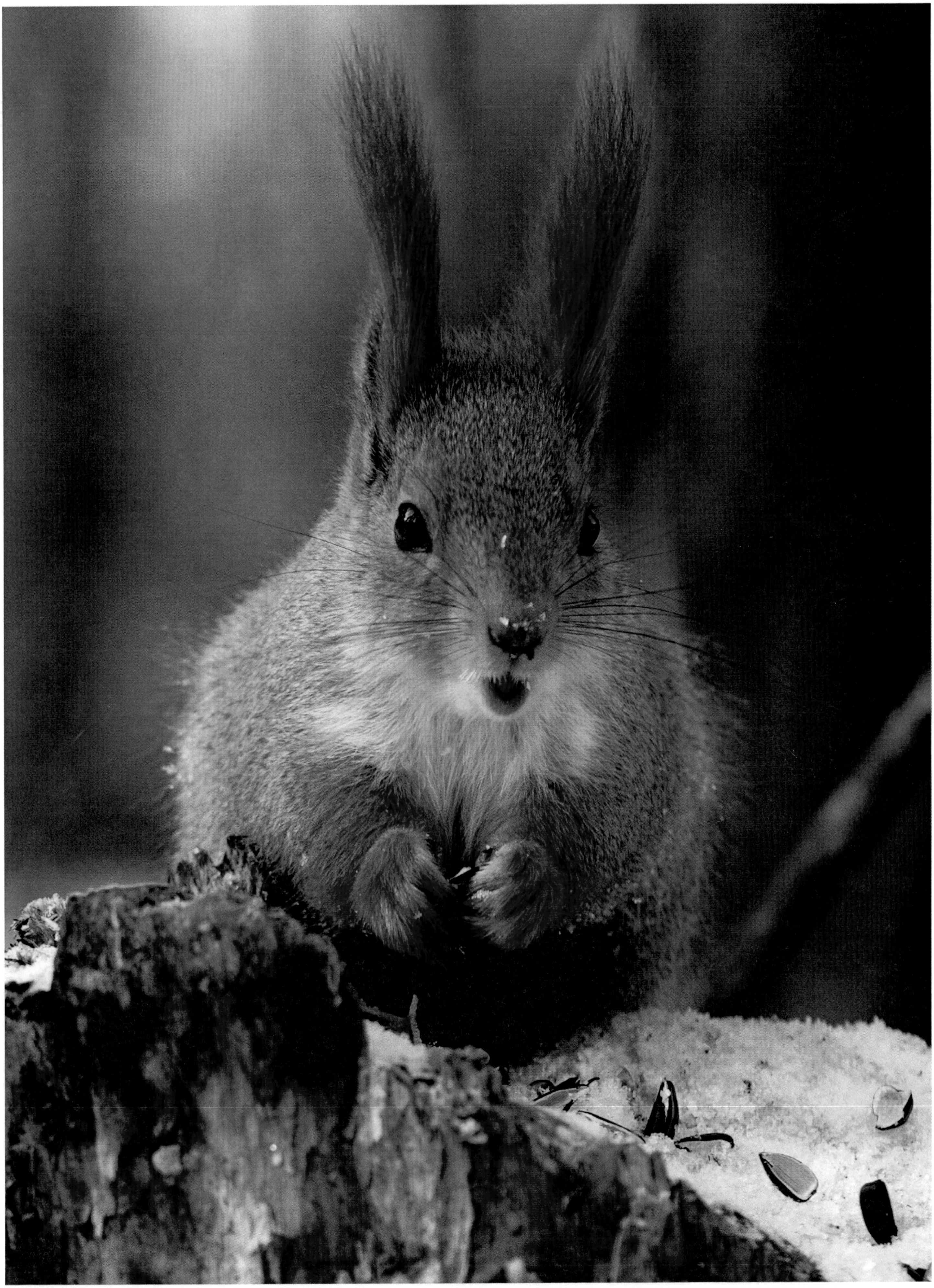

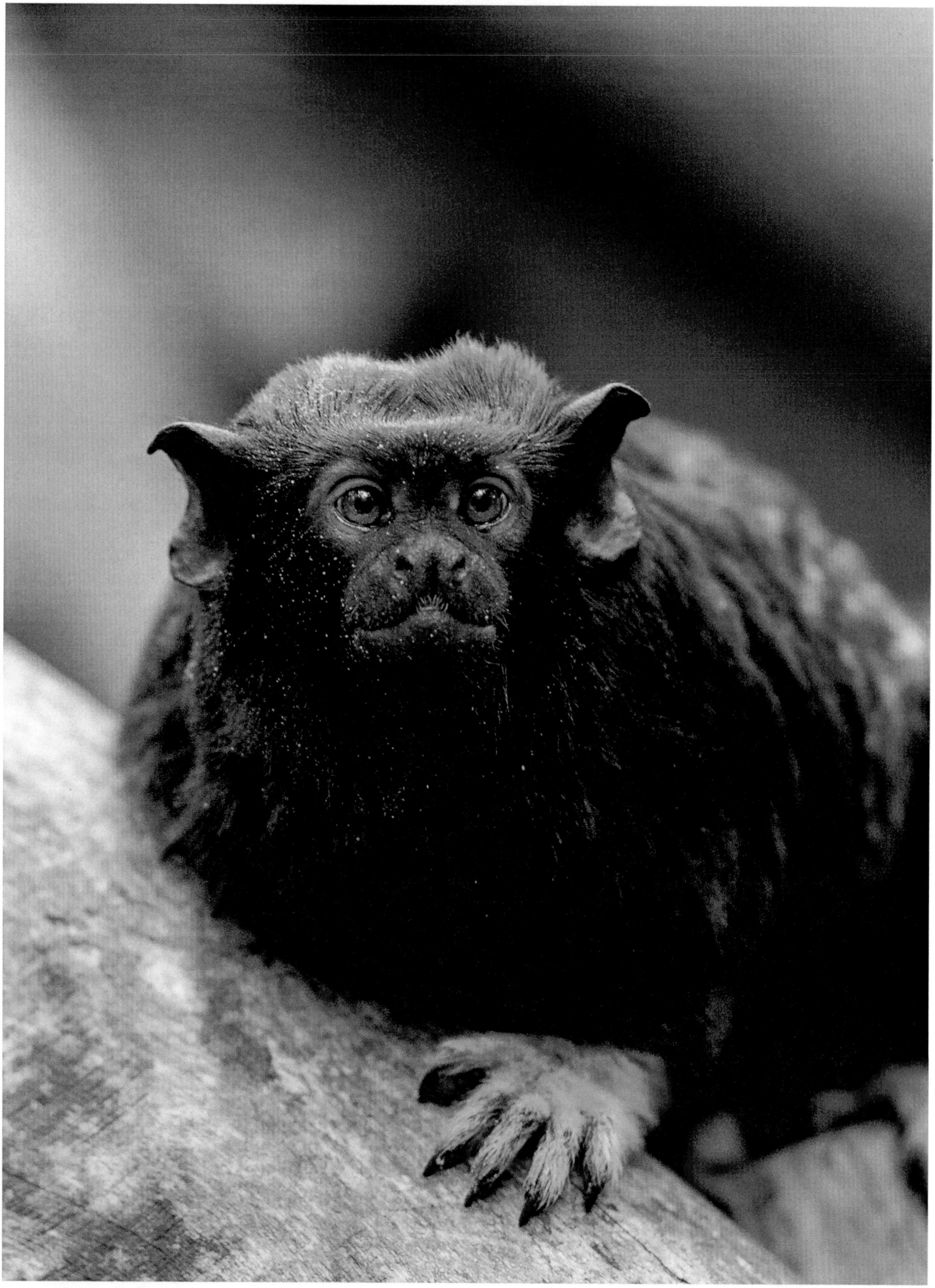

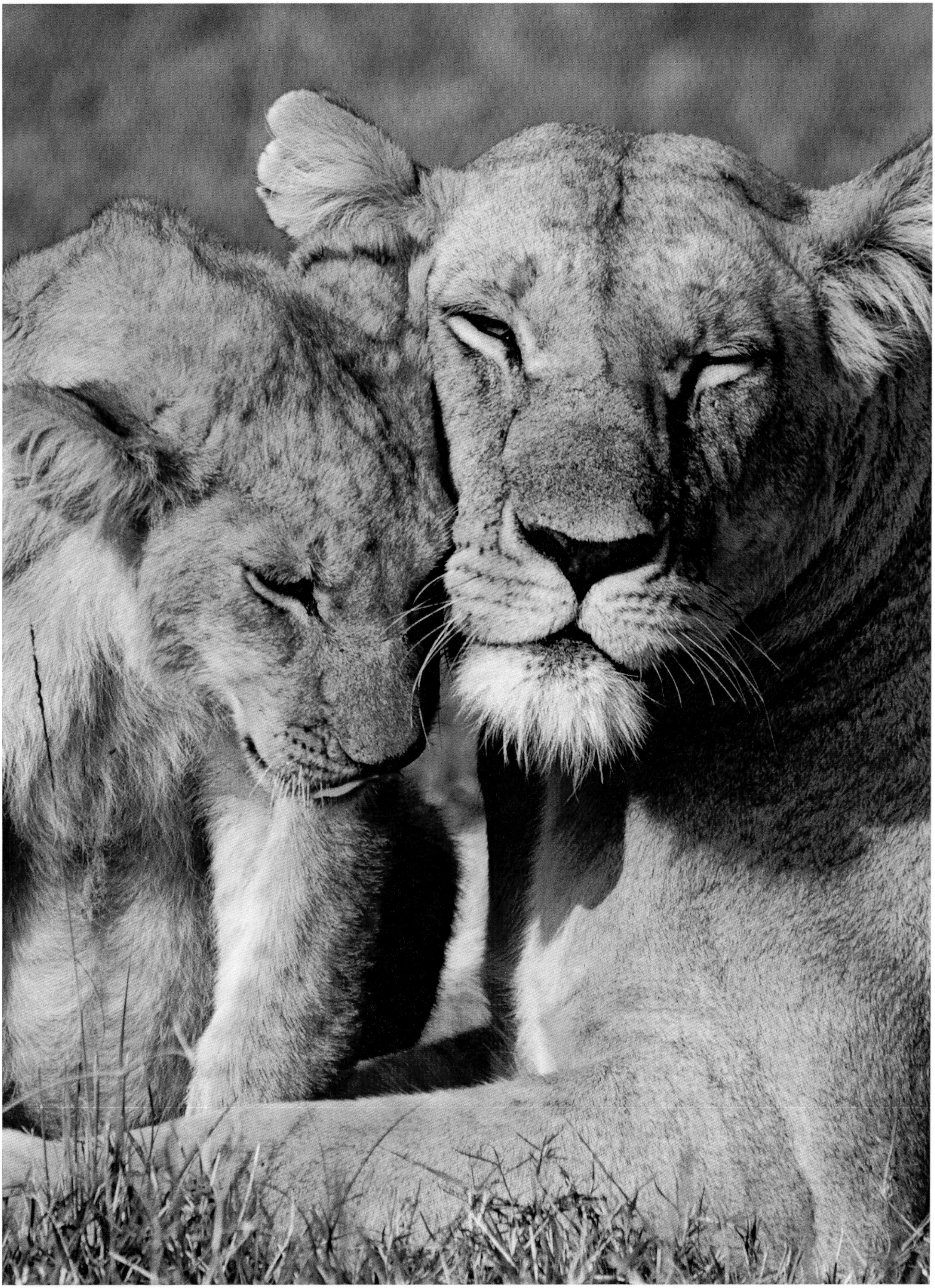

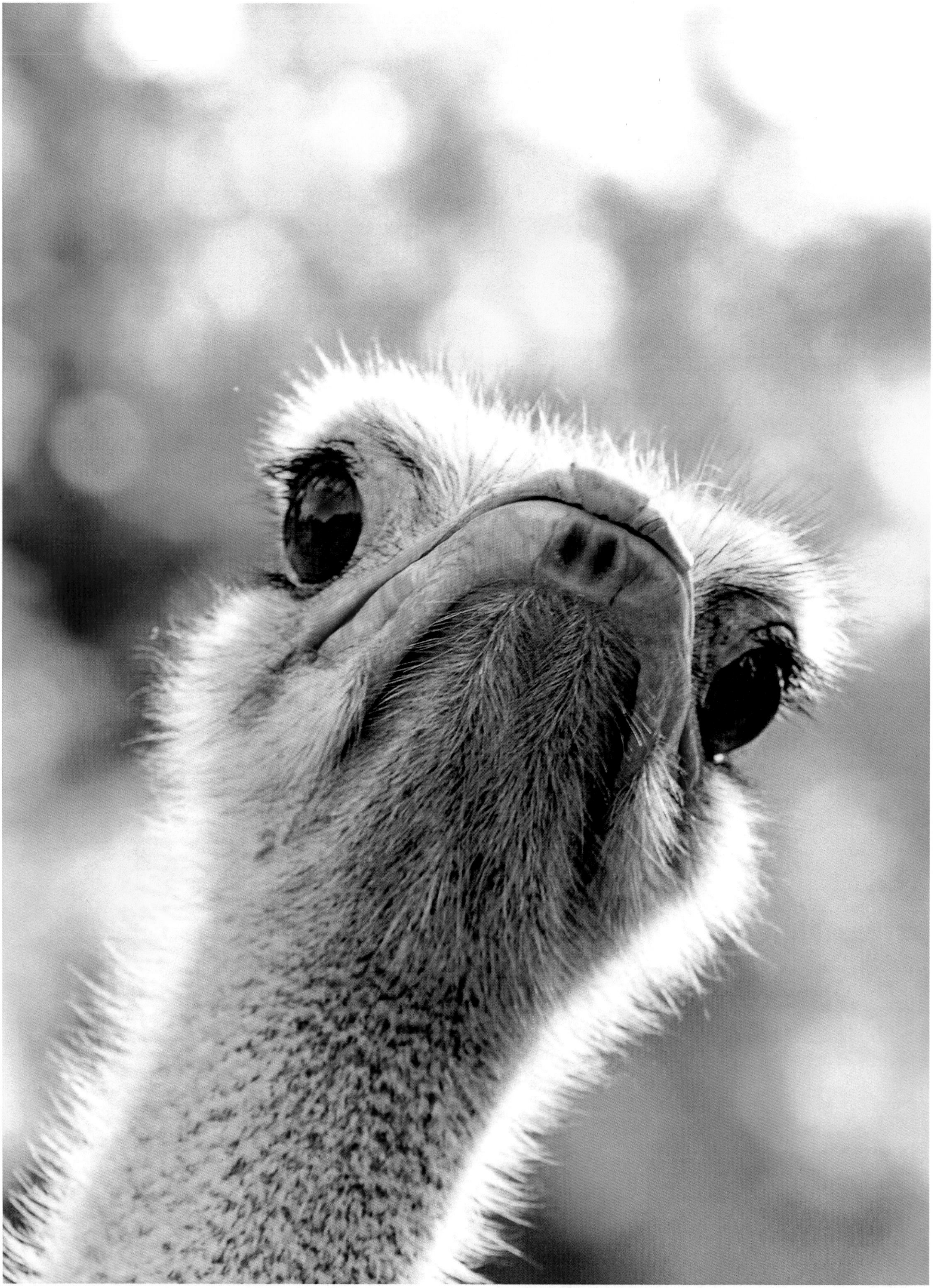

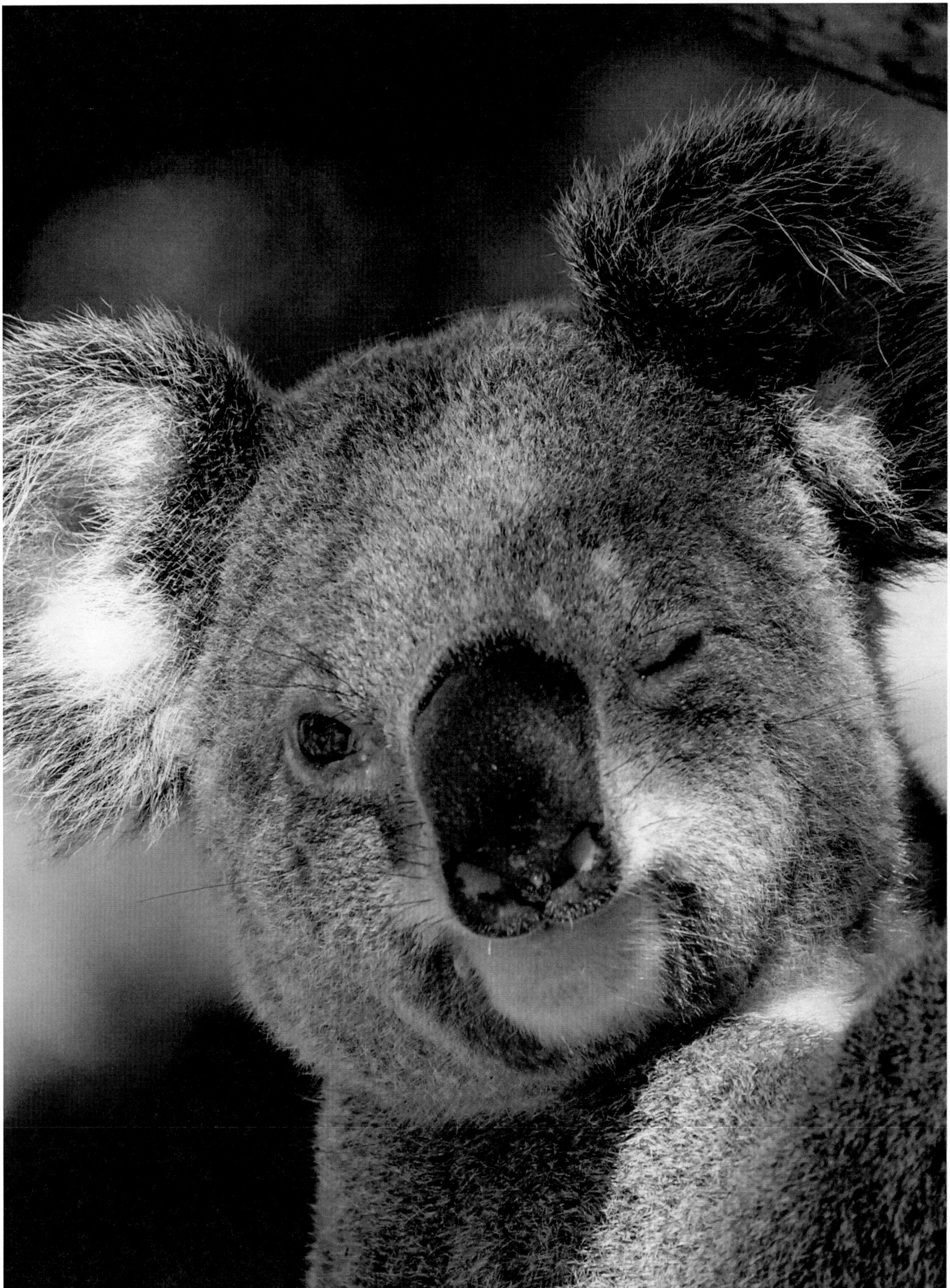

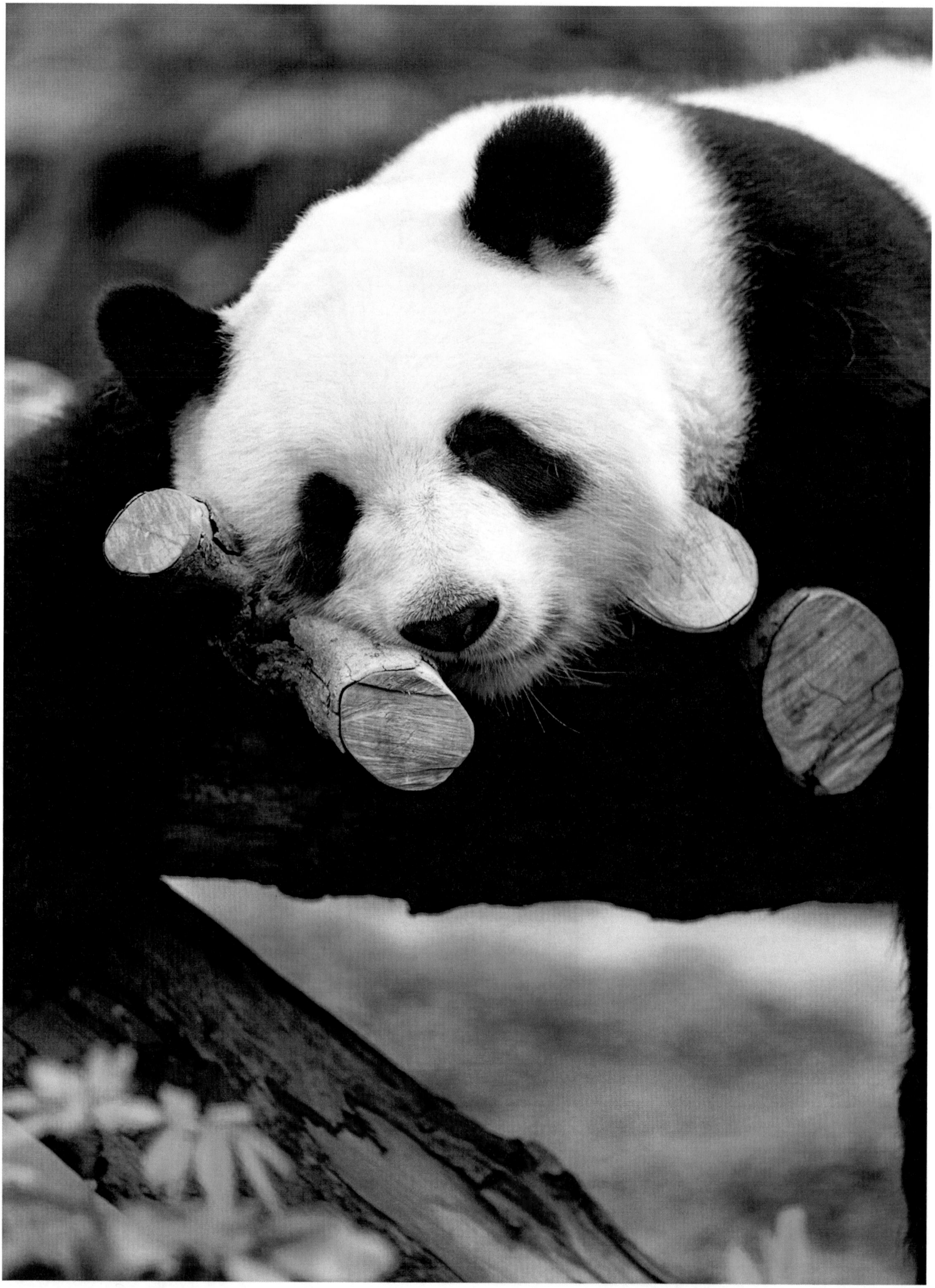

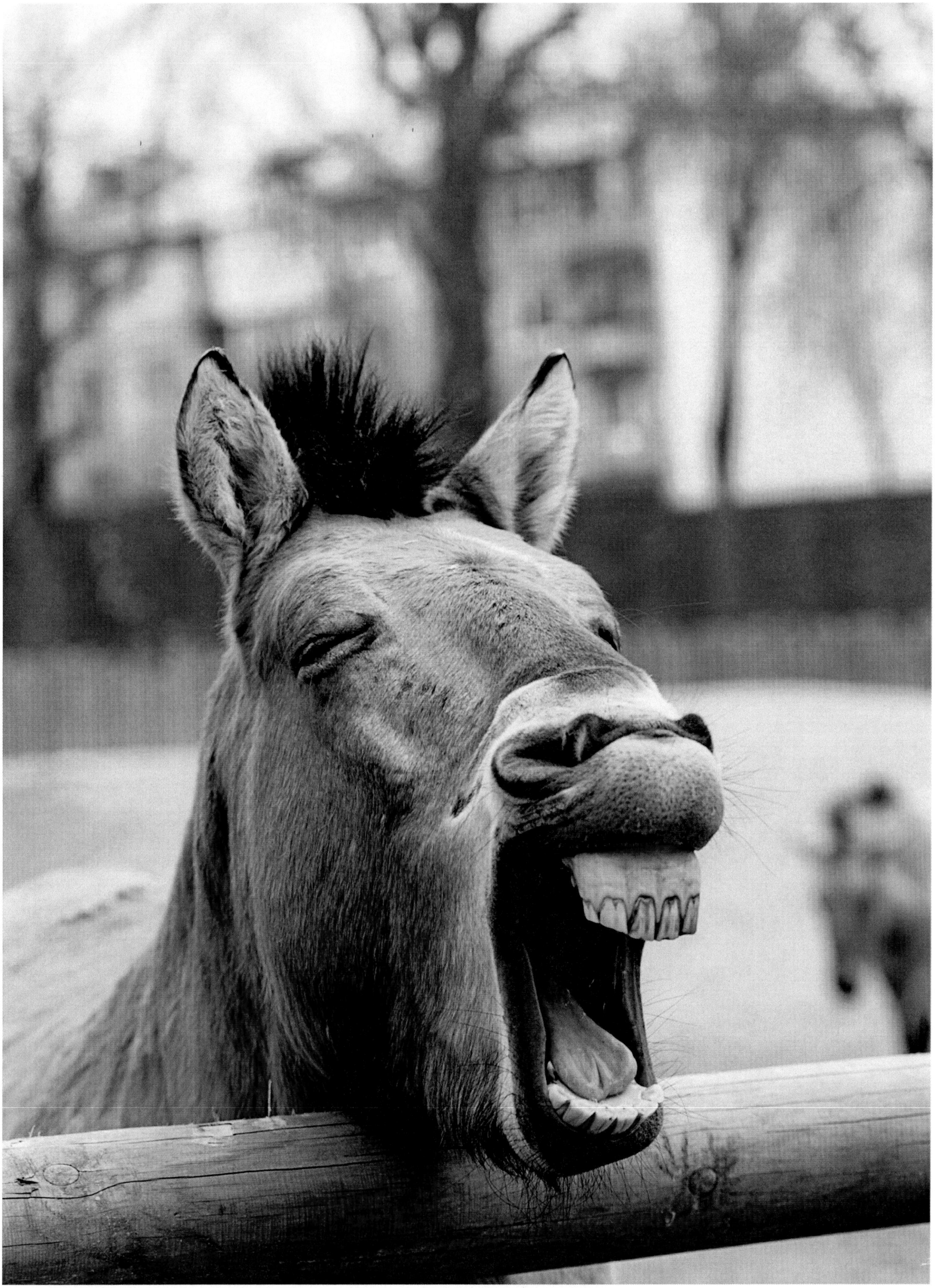

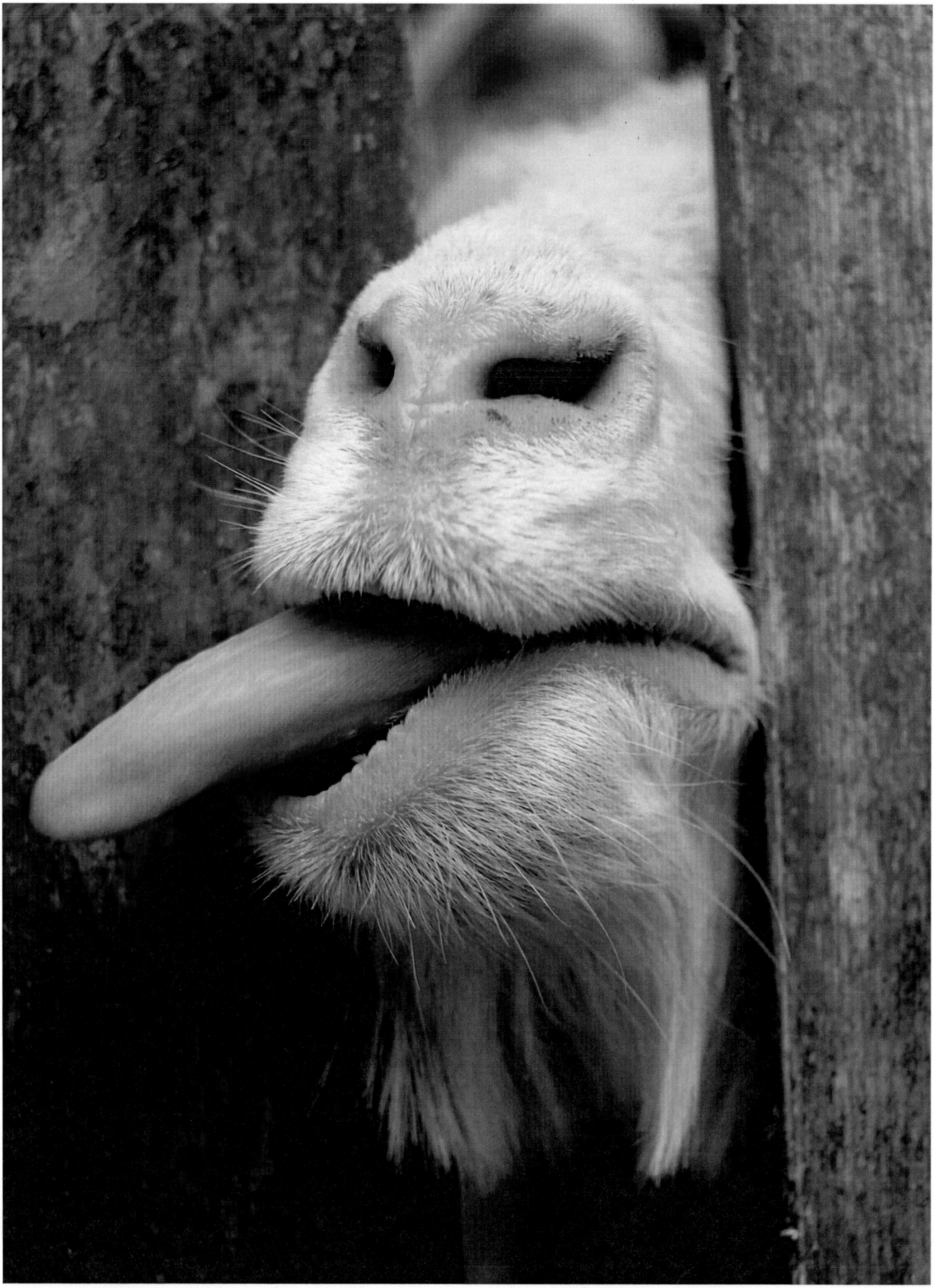

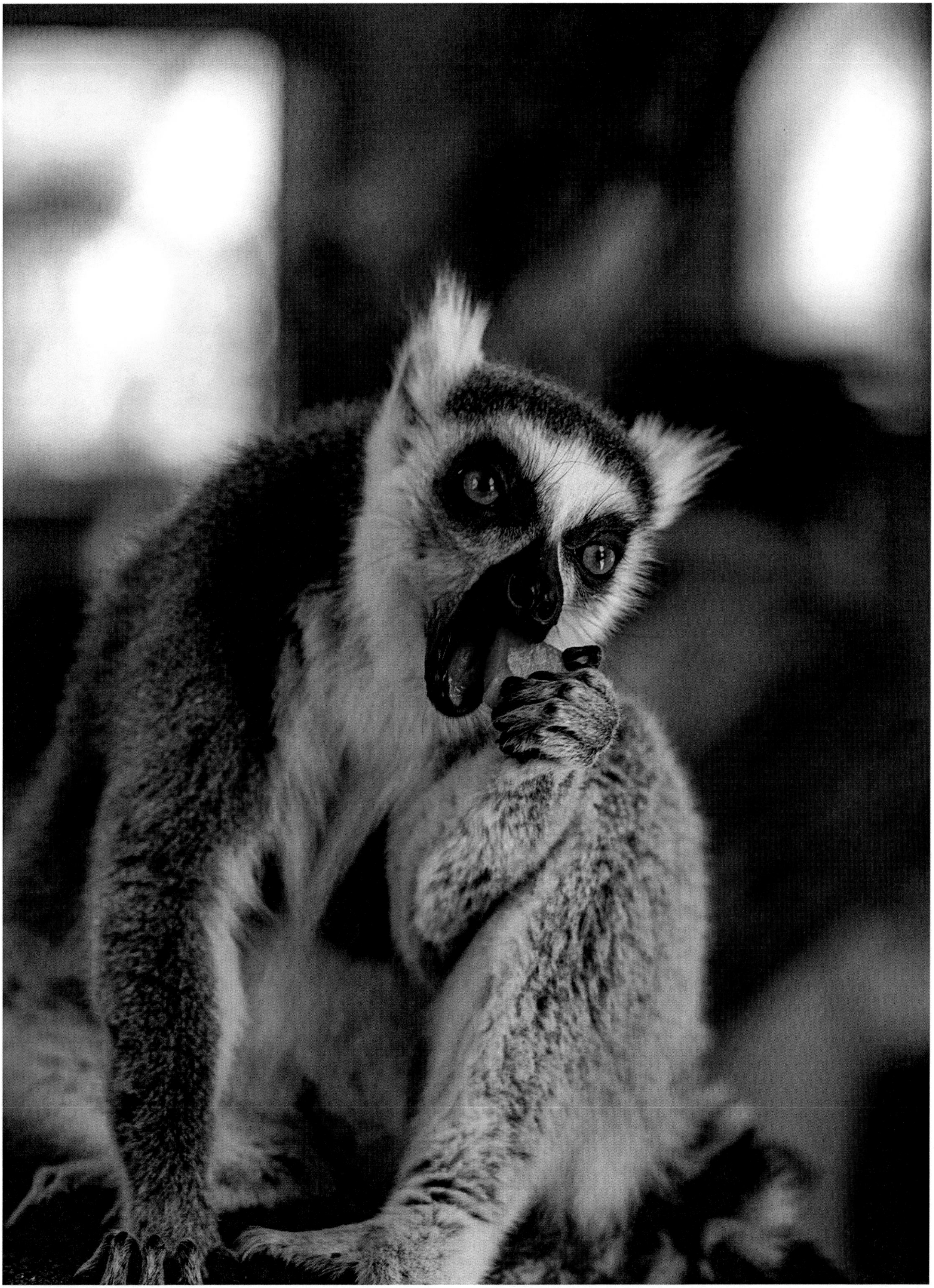

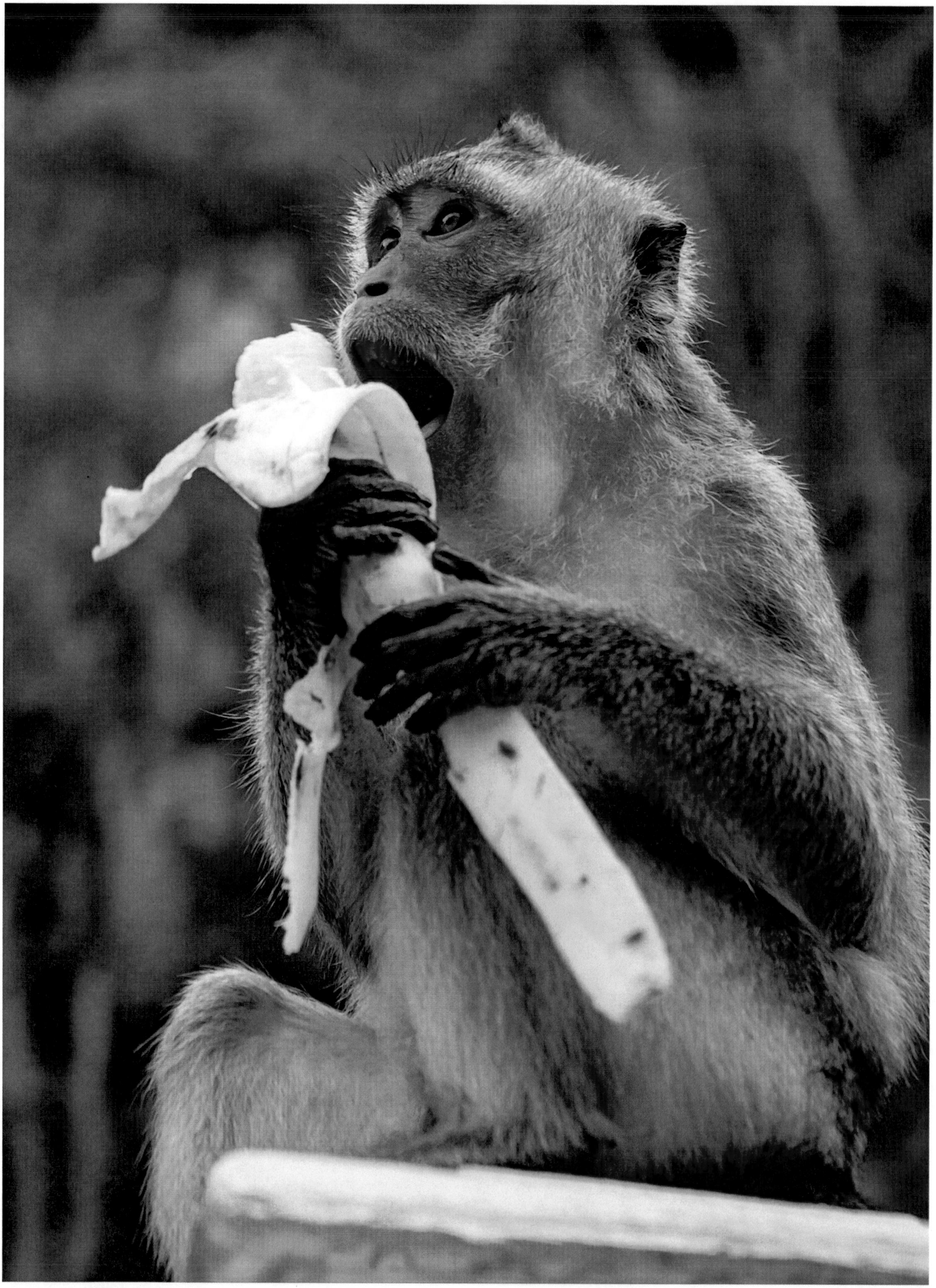

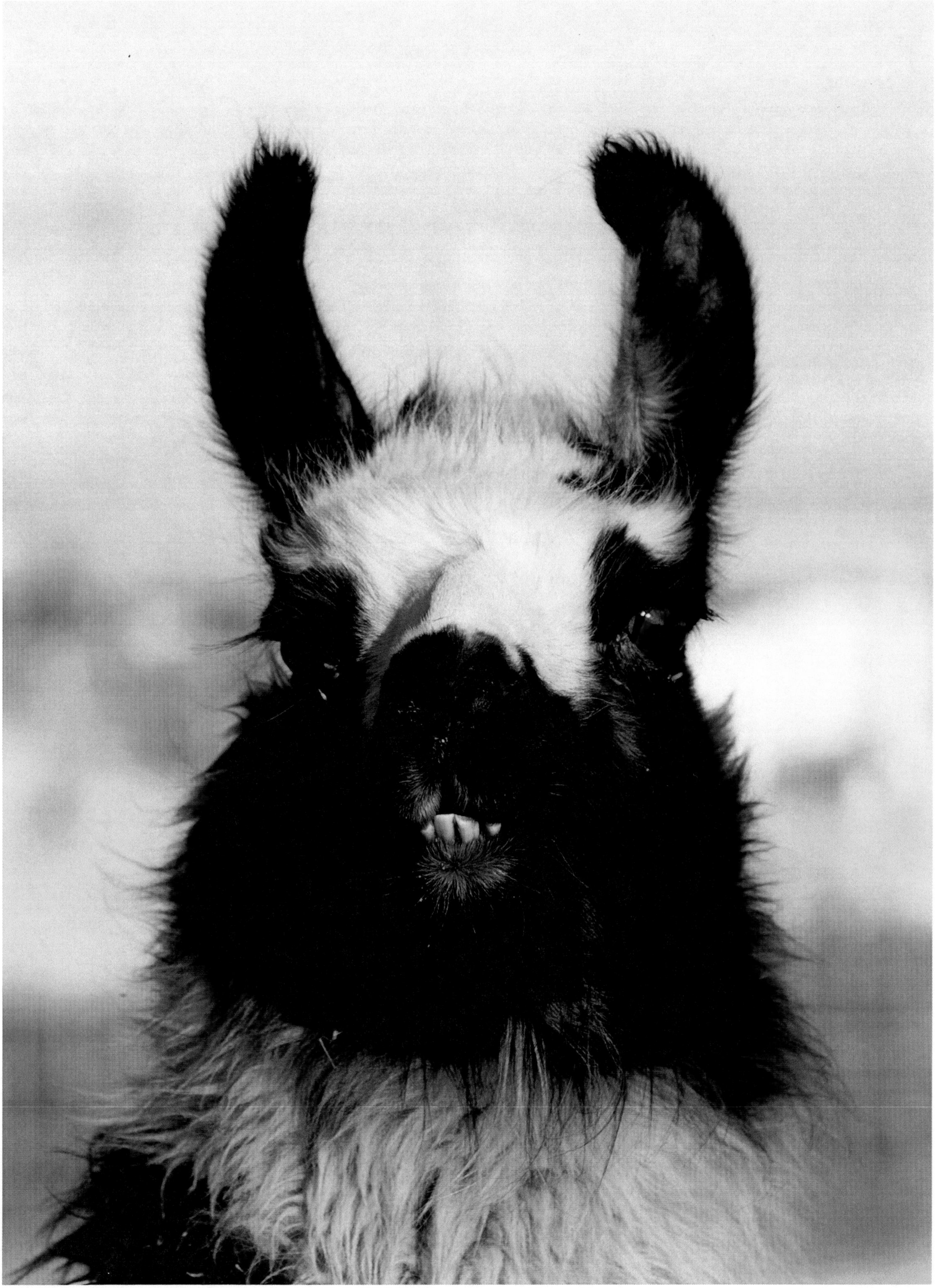

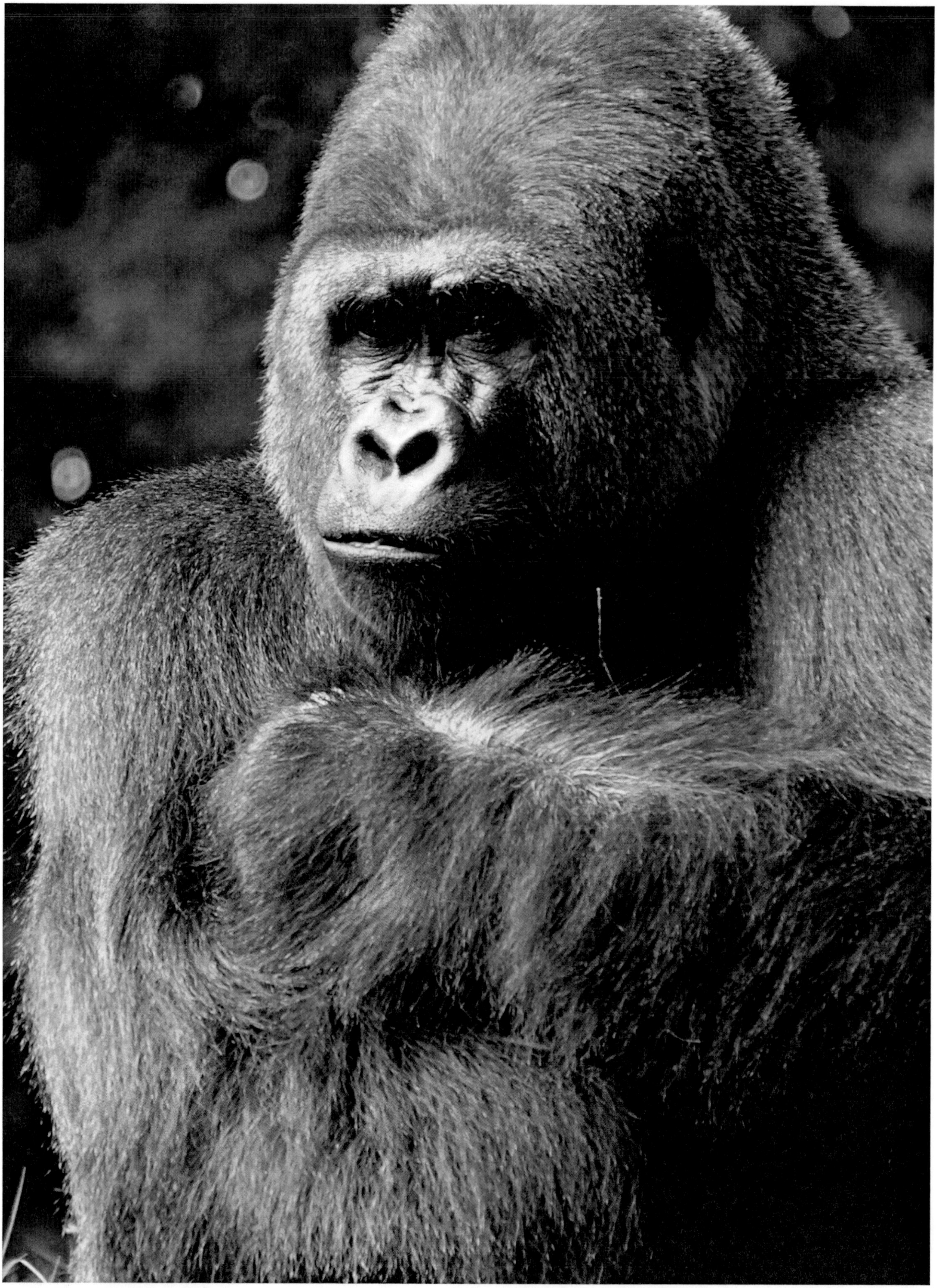

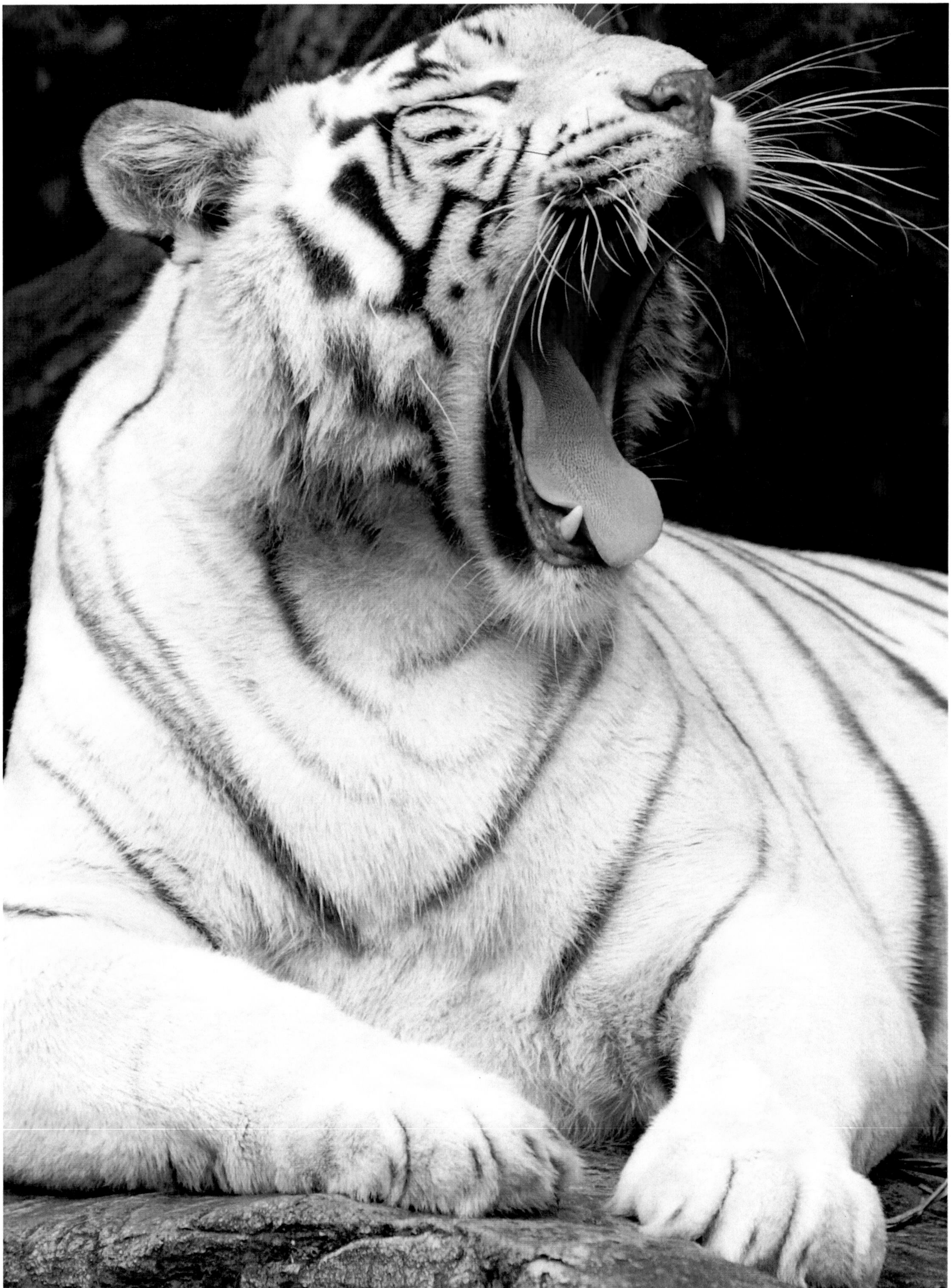

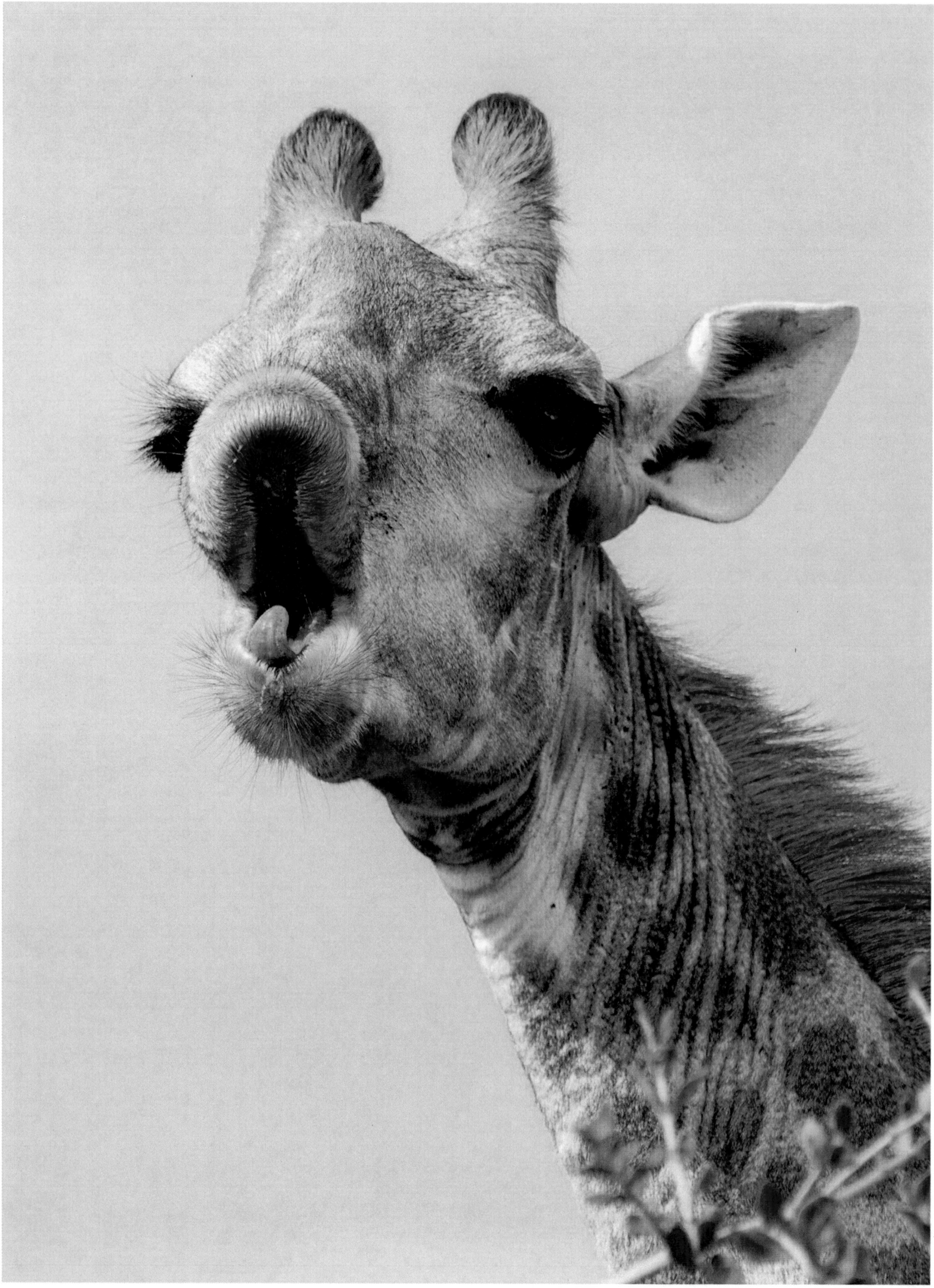

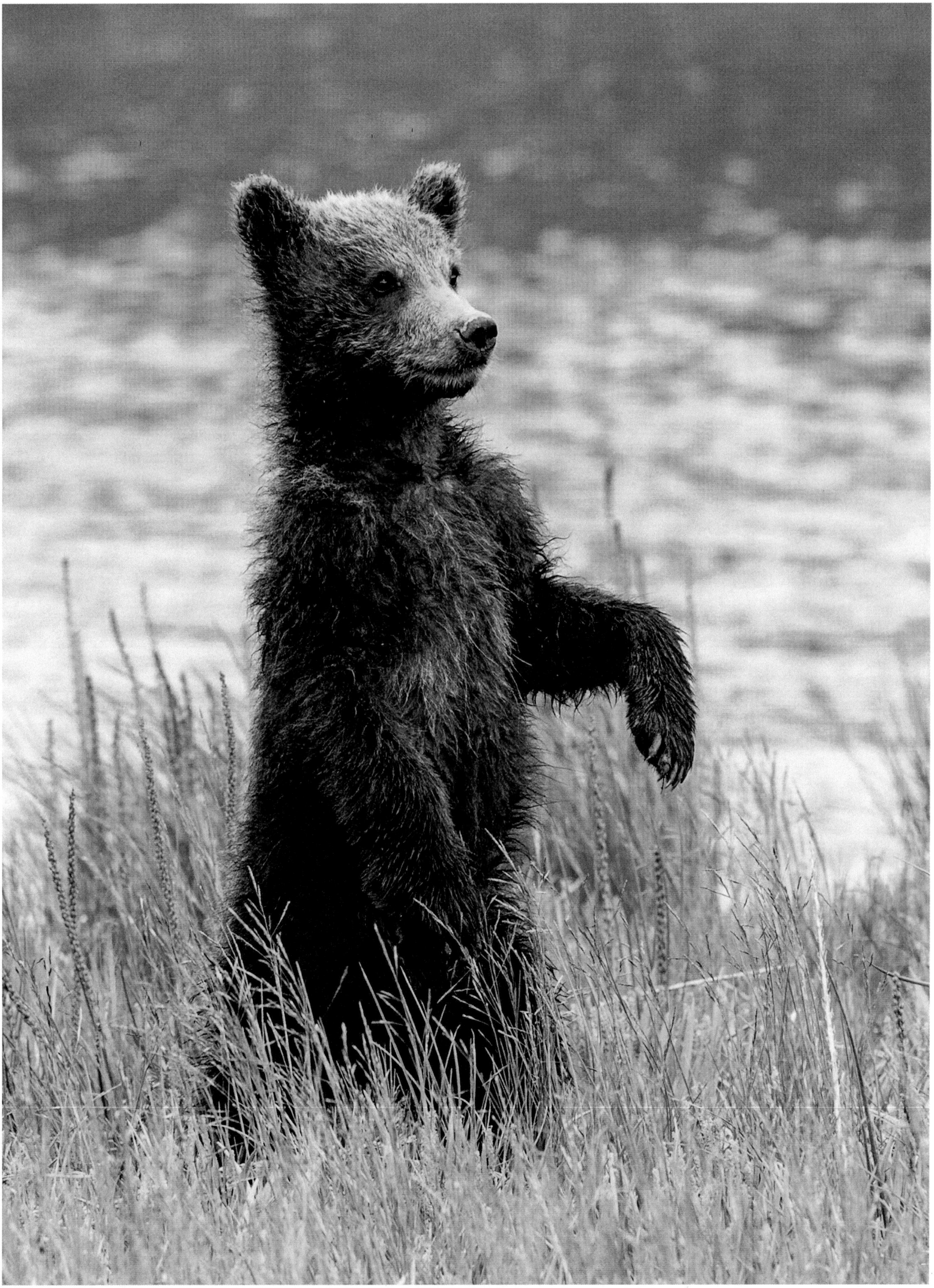

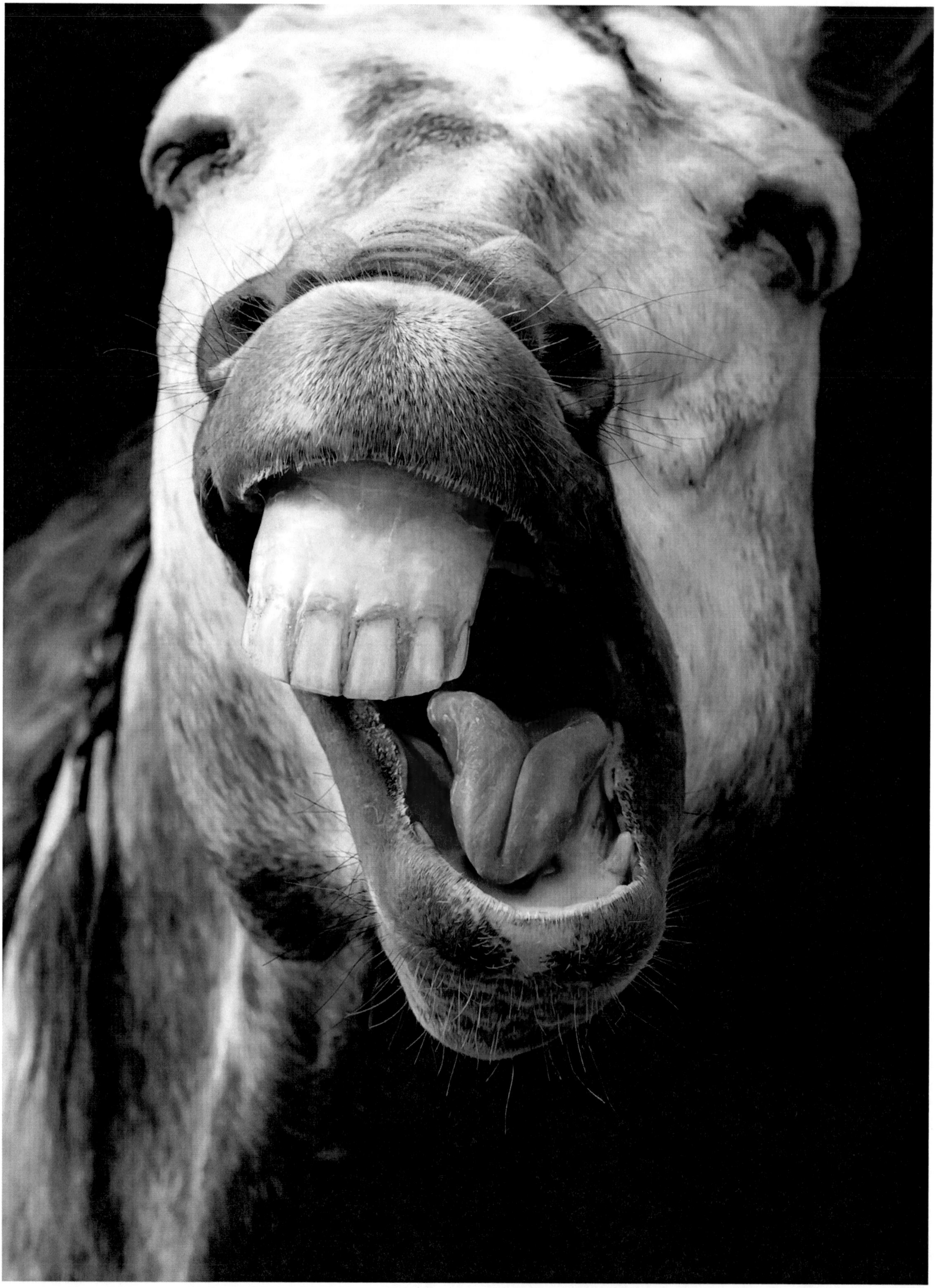

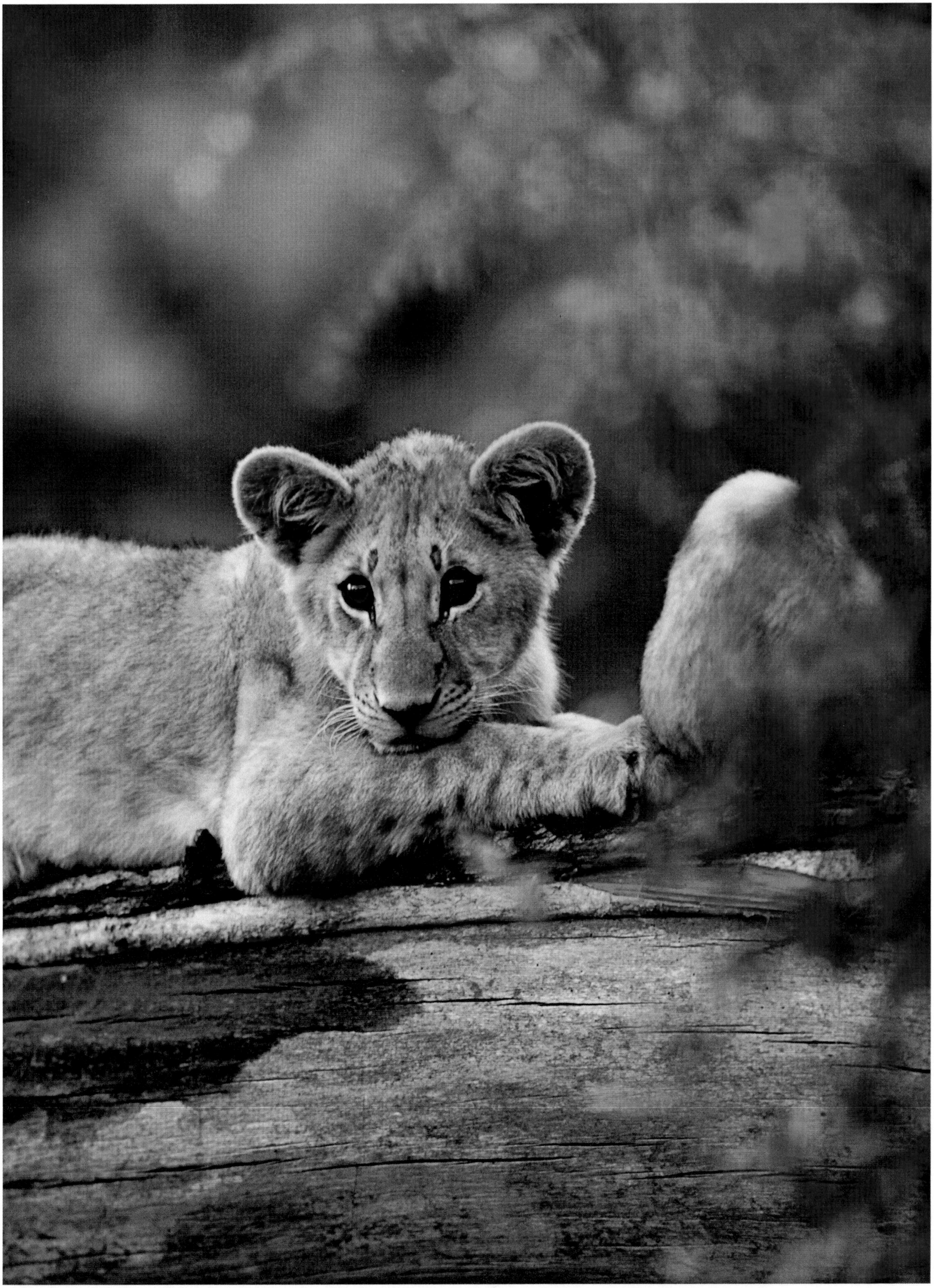

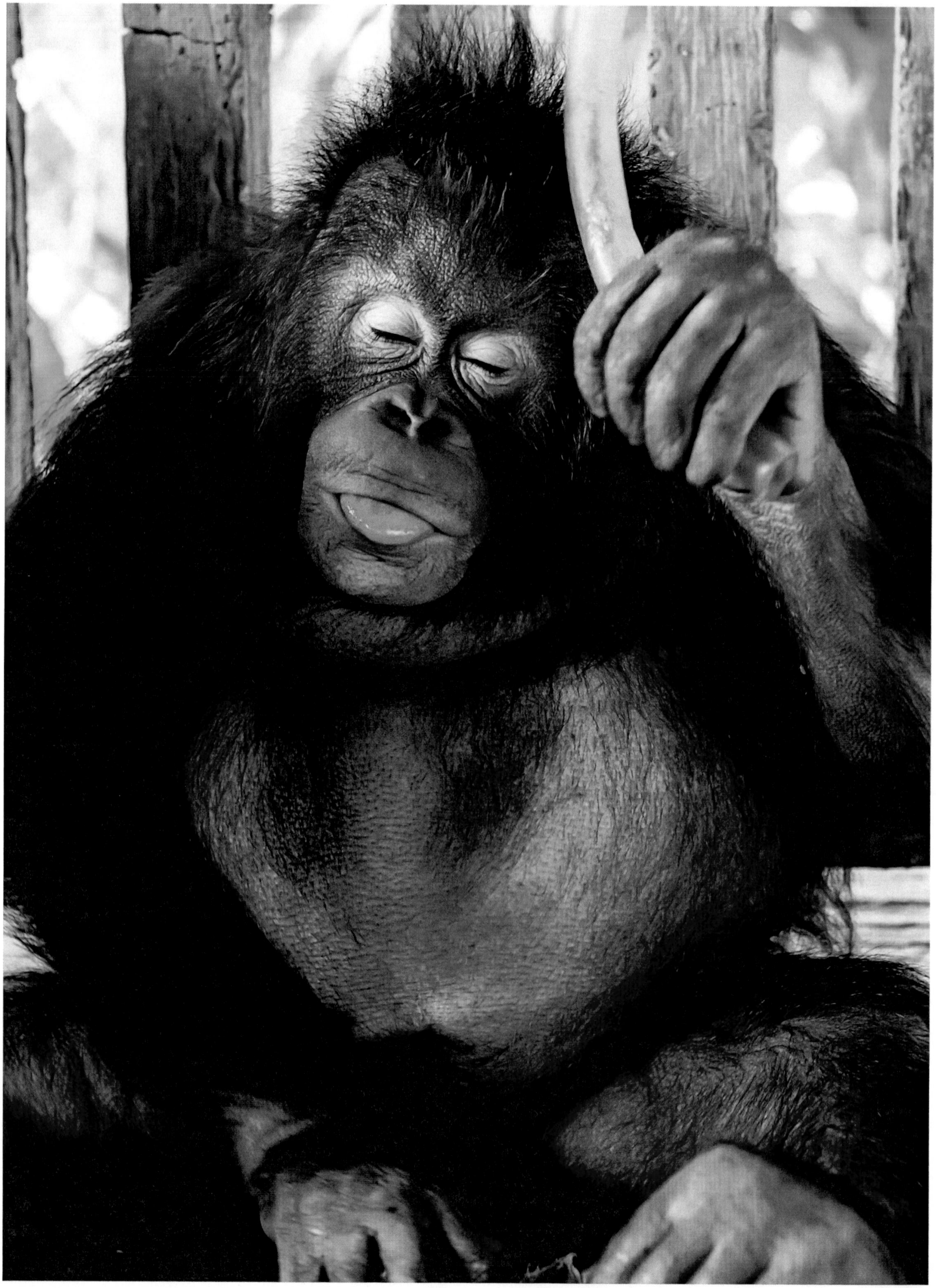

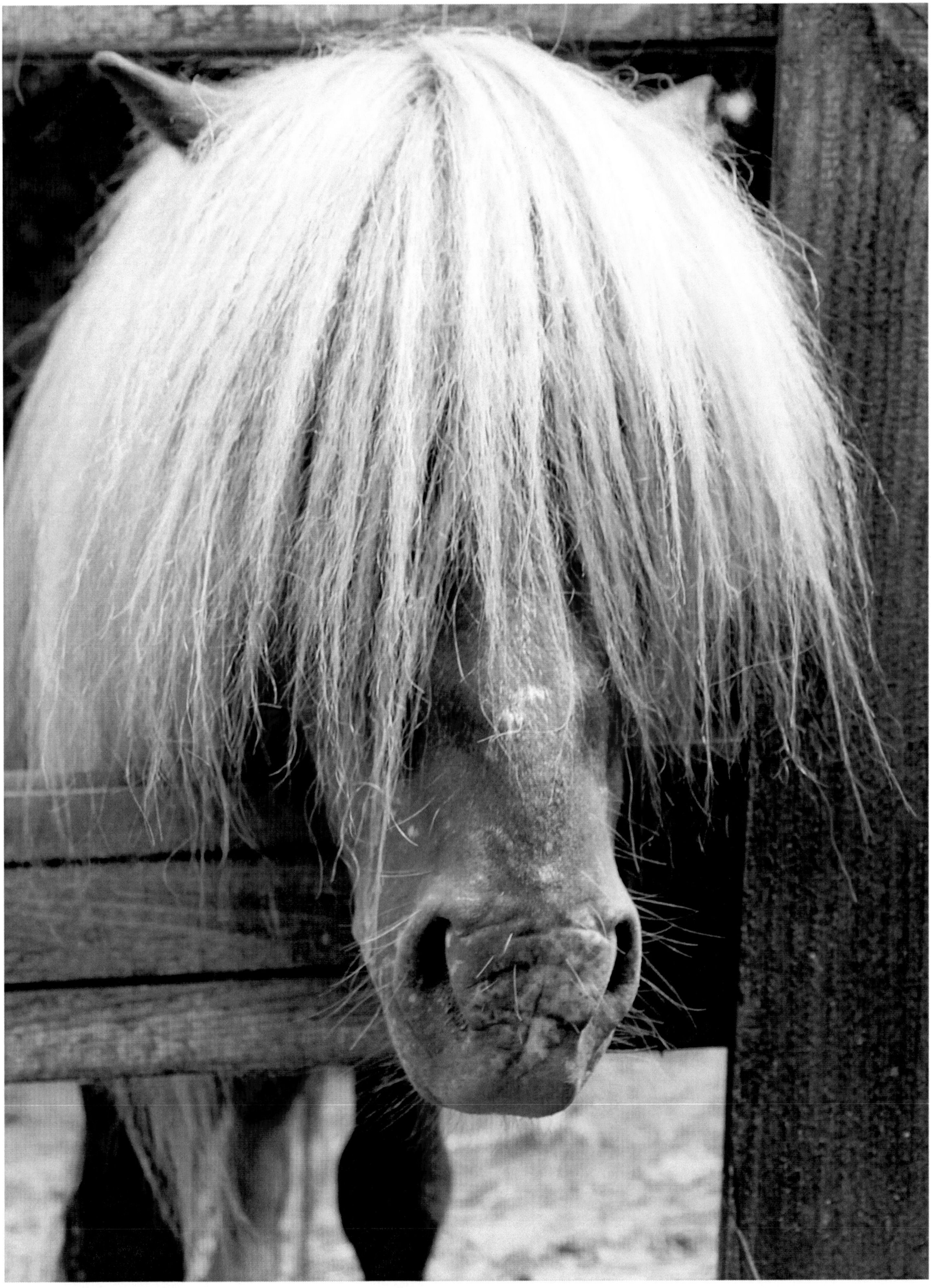

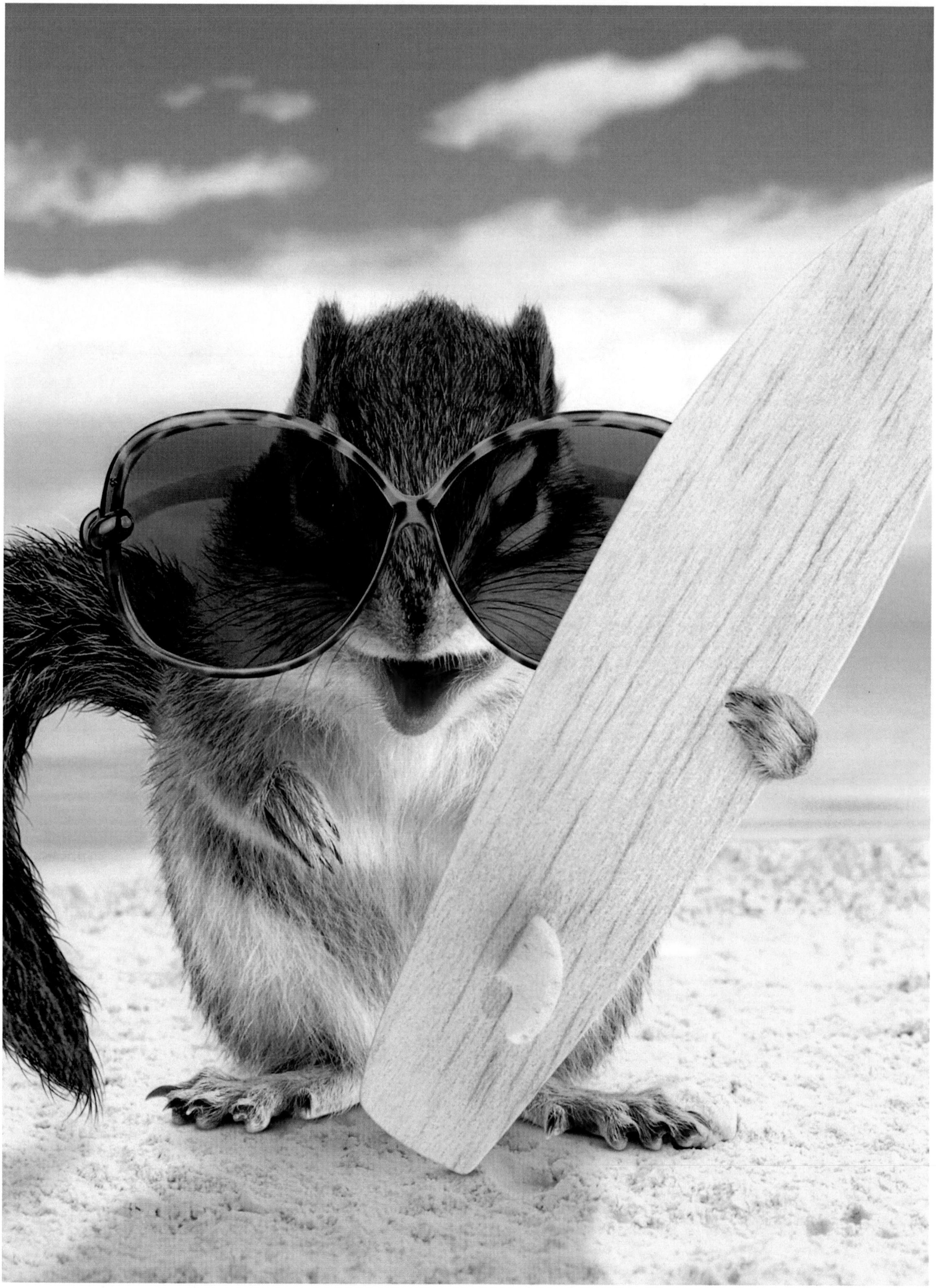

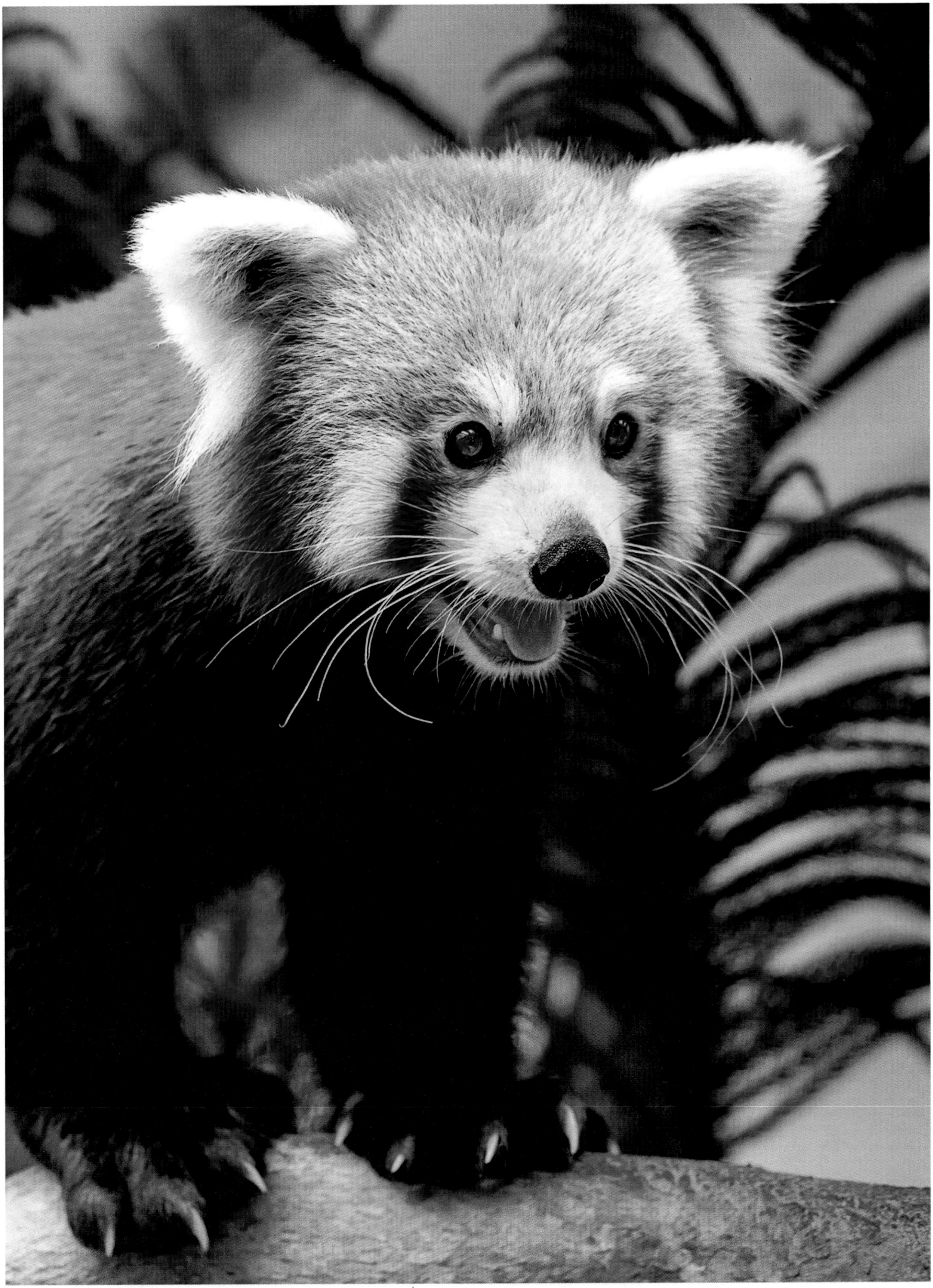

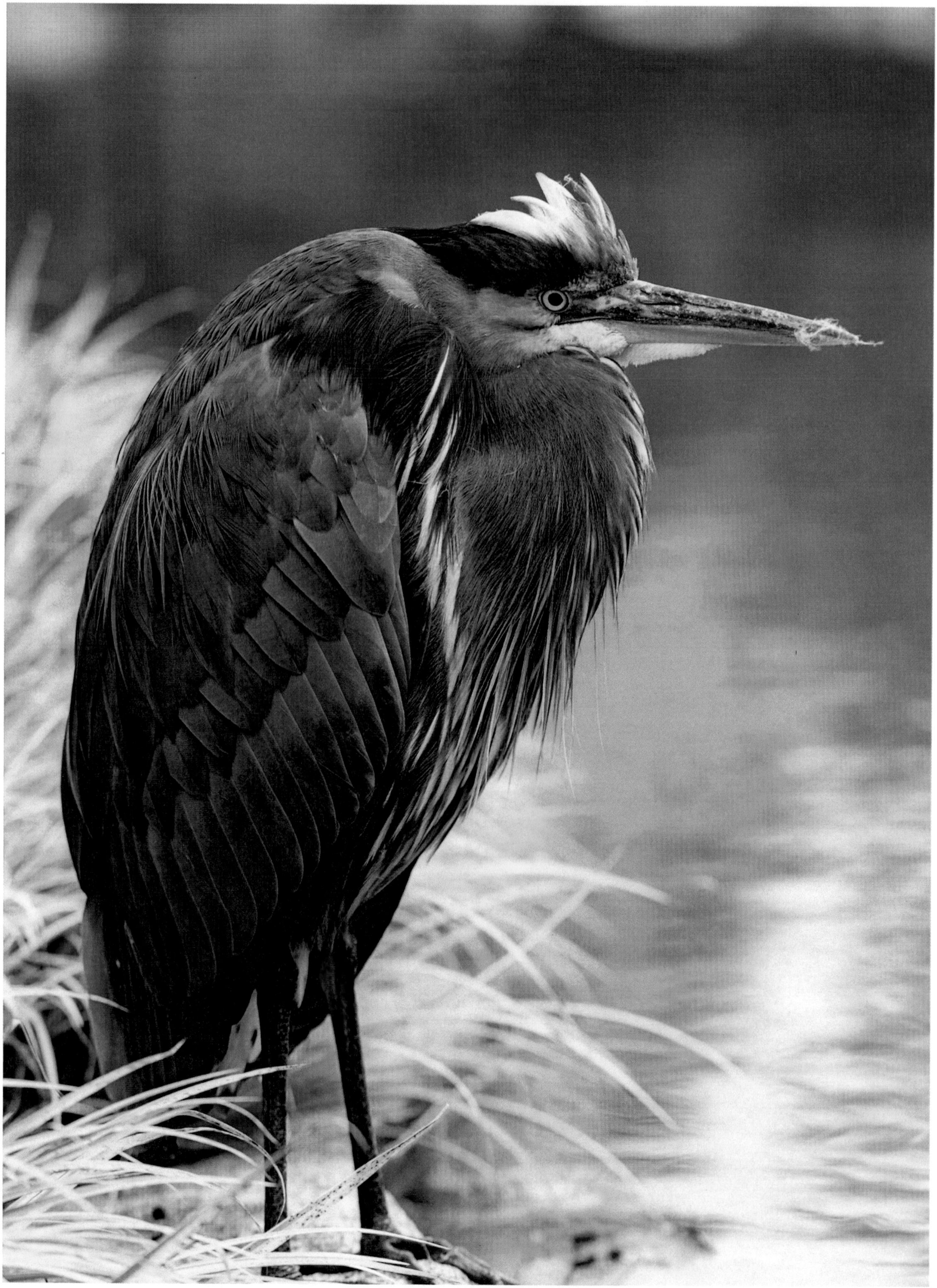